Camarade
Papa

Le Nouvel Attila bénéficie pour sa diffusion et sa distribution
d'un partenariat avec les éditions Anne Carrière.

Gauz a bénéficié du soutien du CNL dans le cadre d'une résidence
au sein de l'association Peuple & Culture Marseille.

Le Nouvel Attila
127 avenue Parmentier 75011 Paris
www.lenouvelattila.fr

Gauz

Camarade Papa

NOTULE

La présence française en Côte d'Ivoire remonte au XVIIᵉ siècle, mais s'intensifie avec la création de nombreux comptoirs. Obstacle à la mainmise des Anglais sur le golfe de Guinée, elle suscite des tensions entre les deux nations. Lorsque les forces françaises sont rapatriées à Sedan après la débâcle de 1870, quelques maisons de commerce se retrouvent seules gardiennes du drapeau face aux Anglais et aux tribus. Leurs établissements se limitent à une étroite bande de terre littorale: la carte du pays est quasiment vierge.

Un négociant rochelais, Arthur Verdier, Résident de France à la «Côte de l'Ivoire» de 1871 à 1889, ambitionne d'en faire une concession privée. Son premier commis, Marcel Treich-Laplène, dirige des missions d'exploration en signant des traités avec les chefs locaux. Mais c'est un militaire, Louis-Gustave Binger, qui, après avoir rallié Dakar (Sénégal) à Kong (extrême Nord de la Côte d'Ivoire), emportera le prestige d'avoir fixé les frontières du pays et sera nommé premier gouverneur. La colonie est officiellement créée le 10 mars 1893. La même année, les établissements Verdier de Grand-Bassam sont détruits par un raz-de-marée, coïncidant ironiquement avec cette réécriture de l'Histoire.

Pour Lounès, Aléki, l'Ange et les Visiteurs
L'Histoire est un leurre
Au mieux le compte rendu rieur
D'un temps et son humeur

à René Ménil
né nègre, parti communiste

LA PLAGE

Sept rouleaux de brisants, crête aux vents, écument de rage en se frappant la tête sur la plage. À l'instant où la première vague s'étale en auréole sur la dorure du sable, une autre au large s'enroule et gronde aussi fort que ses devancières. Leur cycle de vie est court. Quand la dépouille de la première se retire, la deuxième est déjà prête à s'écraser. Le cumul de ces deux vagues contraires se fracasse avant de faire demi-tour vers le large. Quatre poussent dans son dos, deux battent en retraite dans son ventre, alors la troisième grossit, grandit, mugit plus fort. La lame de crête – ils l'appellent la « mère » – s'élève au-dessus de toutes les autres.

L'arithmétique de la vague est immuable. Les premiers marins blancs l'ont appelée la « Barre de Guinée ». Elle prend naissance au-dessus du Puits-du-diable, une faille abyssale née des contractions de l'écorce terrestre en gestation. Risqué de s'approcher, impossible d'accoster. Aucun homme n'est venu peupler ces contrées par voie de mer. Les mouillages ne sont sécurisés qu'au-delà de 400 mètres. Hommes et marchandises ne quittent les navires pour la terre ferme que dans de solides canots, des baleinières pagayées par les deux seuls peuples au monde qui savent défier la barre : les Apoloniens et les Kroumens.

En créant la barre, la nature s'est chargée de mettre un brin d'équilibre dans les rapports entre blancs et noirs. Un bâtiment en panne, en péril, ou tout simplement mouillé au large, s'il veut commercer avec les indigènes, se signale en hissant un pavillon de couleur. Blanc pour les « Franssy », à cause de leur goût pour les défenses d'ivoire. Rouge pour les « Inglissy », grands vendeurs de poudre et de fusils. Noir pour les « Portuguessy », trafiquants invétérés de « bois d'ébène », esclaves expédiés aux confins du monde connu. Mais quelle que soit sa nationalité, le capitaine doit faire « le Signe ». Il descend dans une chaloupe, met le pied sur un rebord, plonge tout en se tenant à la préceinte l'index et le majeur dans l'eau de mer, et les porte à ses yeux : « Plutôt devenir aveugle que de trahir ma parole donnée. » *La boutique est ouverte. Les pirogues à l'abordage !*

Chaque mois, un paquebot de la Compagnie des Chargeurs Réunis *(Société Anonyme, siège social 1, boulevard Malesherbes Paris 8ᵉ) quitte le port du Havre en direction de nos possessions de Cochinchine, en passant par le cap de Bonne-Espérance. Après de brèves escales aux mamelles négrières de la France, La Rochelle et Bordeaux, il sautille par petits arcs de cercle de ports en comptoirs coloniaux le long du gros nez de l'Ouest africain. Les Canaries, Saint-Louis, Dakar, Conakry, Monroevia, Palms Cape, Béréby, Lahou puis Grand-Bassam. Longer les côtes en courtes étapes est un héritage de l'époque de la voile, où l'on imaginait que les forts vents du ponant menaient aux contreforts de l'enfer. Commis, douaniers, clercs, administrateurs, soldatesque…, tout ce qui est affecté à un poste colonial arrive par un bateau des « Chargeurs ». Bassam est atteinte en seize jours. Toute la plage sait alors que derrière la barre va poindre un bateau expirant vapeur et fumée noire au-dessus de la ligne d'horizon.*

Sur la rive, une douzaine de fonctionnaires et représentants des factoreries. La quasi-totalité de la population blanche. Chacun est flanqué d'un boy dont la mission du moment est de réparer une injustice physiologique. Contre le soleil, la mélanine pour le noir ; pour le blanc, l'ombrelle tenue par le boy. Sont aussi présents porteurs mandés-dyoulas, tirailleurs sénégalais, groupes d'Aboureys, rebelles akapless. Des pagayeurs apoloniens prolongent odieusement leur nuit, allongés sous les ombres étoilées des rameaux de cocotiers phototropes aux longs cous tirés vers les vagues. Les Kroumens, encore plus flegmatiques que leurs rivaux, sont à peine visibles alentour. L'ethnologie de Grand-Bassam est complète.

Ce matin du 5 septembre 1893, la plage est bondée plus que de coutume. Les corps et les esprits sont tendus par un enjeu nouveau. Depuis quelques mois, cette côte est française, et avec elle tout ce qui vit et gît jusqu'au 10ᵉ parallèle, plus de six cents kilomètres au nord. C'est officiel, le Capitaine Ménard *envoie aujourd'hui son premier gouverneur à la Côte-d'Ivoire. On sait depuis quelques années que dans ce pays les fouets et les balles peuvent soumettre, mais que seuls les symboles conquièrent. Parmi eux, l'entrée de scène est d'importance. Nous l'avons préparée. Nous ne répéterons pas les erreurs de l'Histoire. Aujourd'hui, la barre sera avec nous.*

Sur le flanc bâbord, le premier esquif à se dandiner au rythme des flots est apolonien. Un treuil descend quelques caisses emmaillotées dans un filet. Lorsqu'arrive la pirogue kroumen, apparaît un homme blanc, immaculé du casque aux bottillons. Il est descendu dans la baleinière. Il se tient debout. De la plage, on a l'illusion d'un homme marchant sur les flots. L'index et le majeur dans l'eau, puis portés à ses yeux. Le signe est inusité depuis longtemps mais tout le monde le reconnaît. Les Kroumens élancent la baleinière tout en entonnant un refrain jamais entendu. Le vent porte à la plage les quatre mesures du mystérieux chant. « Abléééé véno sioooon… » *La foule se met à hurler. Les tirailleurs reconnaissent, se dressent et courent, Chassepot à l'épaule, s'aligner sur deux rangs.* « Abléééé véno sioooon, abléééé véno sioooon… » *La dernière mesure de* La Marseillaise, *paroles et accent kroumen,* ad libitum.

La baleinière porte bien son nom anglais surfboat. *Elle glisse sur la* « mère ». *Les sept pagaies sont brandies au ciel, l'homme blanc est debout, drapeau tricolore à bout de bras, face altière, menton haut. En quelques manœuvres du barreur, la baleinière s'immobilise face à l'allée de tirailleurs. Clameurs et vivats. Ancien capitaine d'infanterie, ancien explorateur de la boucle du Niger, nommé premier gouverneur de la Côte d'Ivoire, Louis-Gustave Binger débarque à Grand-Bassam. Voilà comment revient la France officielle dans sa colonie.*

CHAPITRE ROUGE

CRAC

Des jours, des semaines, je ne sais quand Maman est partie. Je prends un livre sur son bureau. Camarade Papa éteint, pressé de sortir. Il ne dit rien. Il ne dit jamais rien. Sauf pour la lutte émancipatrice des masses laborieuses. On descend dans les escaliers en cage. On habite *Sintannenstraat* : rue Sainte-Anna, la maman de Marie. Devant la bouche de l'immeuble, les messieurs de la bande à Marie-Anna. Ce sont des suppositoires du grand capital. La police, forces rétrogrades aux ordres de la bourgeoisie, ne fait rien parce que le quartier est populaire. *Warmoesstraat*, on prend à droite. La rue de l'école. La rue des vendeuses de bisous aussi. Pendant que nous apprenons l'histoire, elles font le plus vieux travail du monde dans le plus vieux quartier de la ville.

Je suis né là. Je connais toutes les vitrines à bisous et elles me connaissent toutes. Lors des sorties de la classe populaire, je bonjoure toute la rue. Marko-le-jaloux me chuchote *«Klootzak!»* Réaction : tirage automatique de cheveux et lutte de classe. On finit en lacets par terre. Les autres enfants de la classe populaire crient et rient, les maîtresses se follent, Yolanda sort trapper Marko au-dessus de moi. La lutte de classe se fait toujours devant la vitrine de Yolanda. Marko se trompe : Maman ne vend pas des bisous. Maman est seulement une putain de socialiste, dit Camarade Papa. Yolanda est marron très foncé, comme Camarade Papa. Maman est marron très clair, comme moi. Nous sommes la tribu des marrons, dit Yolanda. Dans la rue, elle est la seule marron vendeuse de bisous. À chaque lutte de classe, elle me gronde en public. À cause des préjugements des yeux sur la couleur, le marron doit être exemplaire. Devoirs des marrons. Quand on est seuls tous les deux, elle dit : « Tu es très courageux. » Moi je sais juste que les plus petits doivent toujours se battre pour arracher aux plus grands leurs privilèges de classe. Marko-le-jaloux est le plus grand de la classe populaire…

Le jour du départ avec Camarade Papa, on passe devant la vitrine de Yolanda. Je fais notre signe, elle regarde ailleurs. Yolanda regarde ailleurs chaque fois que je la triste. Comme lorsque je me suis garé tout seul à *Centraal*. Quand Yolanda doit me dormir pendant que Camarade Papa milite la Chine révolutionnaire quelque part et que Maman étudie l'Albanisme à la grande bibliothèque, ce sont les *grands-soirs-Yolanda* à la maison. Ce soir-là, je n'ai pas respecté la discipline du parti. Elle m'a cherché partout. Juste avant que Yolanda ne soit morte de toute la peur dans son ventre, je suis revenu seul comme un boomerang. Quand elle m'a serré fort sur ses grands bonbons pour messieurs, j'entendais son cœur battre le grand tam-tam des Boni-marrons. Je lui ai expliqué que je me suis promené et garé pour voir la grande horloge et les trains. Qu'on ne peut pas être né à deux pas de la gare et ne jamais voir de trains vivants, juste à cause de la discipline du parti. Que dans les haut-parleurs de la gare, j'ai reconnu la voix de la diablesse, une vendeuse de bisous vieille comme le quartier. Elle a ri ses belles dents. J'ai juré sur le portrait du camarade Mao au-dessus de mon lit de ne plus me garer sans prévenir.

Elle me triste, Yolanda, à regarder ailleurs le jour de mon premier voyage. Quand Camarade Papa et moi sommes au niveau de *Oude Kerk*, la paroisse du quartier, Yolanda me crie. En tenue de bisous, elle court dans la rue. C'est interdit à toutes les travailleuses du bisou de faire le gigot dehors des vitrines. Surtout devant l'église où avant on enterrait les morts pauvres. Les yeux sont déjà remplis de préjugements sur les femmes et les marrons. Alors qu'est-ce qu'ils vont dire sur une femme marron et vendeuse de bisous dans le même corps? Elle ne la respecte pas du tout, la discipline du parti, ma Yolanda. En plus il y a peut-être des forces rétrogrades en embuscade, prêtes à distribuer des amandes qui ruinent des jours de bisous durement vendus.

À chaque pas de course sur ses talons qui piquent, ses grands bonbons pour messieurs dansent la gloire du peuple, la plus belle des danses. Yolanda me faucille du sol. En plus de son cœur qui bat le tam-tam des Boni-marrons, elle pleure, ma Yolanda. Elle ne doit pas. Je ne vais pas me garer seul à *Centraal* comme la dernière fois, je suis avec Camarade Papa. Elle me serre fort sur ses grands bonbons pour messieurs. Elle me marteau au sol et fourre dans mon sac à dos un gros paquet de petits bonbons pour enfants à la réglisse. Mes préférés. Magie Yolanda. Mais je suis un soldat révolutionnaire du peuple souverain debout, même mes bonbons préférés ne peuvent me corrompre. Je gronde Yolanda. Elle arrête de pleurer et finit par rire ses belles dents devant mon altitude révolutionnaire. Elle promet de ne plus recommencer. Je la regarde avec mes yeux de commissaire à la propagande ou de contrôleur à la rectification des Lin Biao. Alors elle jure sur la tête du camarade Mao au-dessus de mon lit. Je suis rassuré. Je la regarde avec mes yeux de Boni-marron de la forêt du Surinam. On fait notre signe. Elle s'en va. Devant *Oude Kerk*, je ne suis pas seul à la regarder partir. Elle se retourne une fois pour faire deux fois notre signe. Sur elle, sur moi. Je dis « *Vaarwel Yolanda* » derrière le mur de ma bouche.

Au bout de *Warmoesstraat*, frontière finale du quartier, on se faufile pour glisser dans une petite allée. Ça évite le tour de *Damrak*, le barrage, et on tombe à bras raccourcis sur le quai du prince Hendrik. Camarade Papa n'oublie pas de fulminer quelque chose contre toutes les familles royales du monde. Je n'entends rien, je suis trop excité. *Centraal* est au bout de la rue. 9 h 04, dit la grande horloge. Amsterdam – Paris 9 h 58, dit la diablesse dans les haut-parleurs. Premier voyage. Premiers au train. Camarade Papa porte ma valise des affaires étrangères. Mon sac à dos, je l'ai fait comme pour aller en classe populaire : que des livres. Et maintenant les bonbons de Yolanda. Avant de monter, Camarade Papa m'explique que Maman est partie dans son paradis socialiste du camarade Hodja, le monsieur dans les nuages sur le poster au-dessus de son bureau. Elle ne veut pas avoir le regret comme l'année dernière, à la mort du camarade Mao. En plus la bande à Amédée-Pierre a besoin de son soutien tactique. Elle n'a pas eu le temps de prévenir. L'urgence socialiste.

Camarade Papa n'a pas besoin de faire le sérieux pour que je monte. Moi je suis content de prendre le train pour la première fois avec Camarade Papa. En plus, pour Commune-de-Paris ! Pas de vapeur, pas de sifflet, il démarre sans bruit à cause du courant de l'électricité. Je m'accroche à la fenêtre. La foule sur les quais, je l'imagine m'agiter des mouchoirs blancs. Le Grand Timonier si la foule est bridée, le Petit Père des peuples si la foule est débridée, s'en va porter la lumière vers une future contrée révolutionnaire. En vrai, il y a agitation dans *Centraal*, mais pas ferveur populaire. La soumission au grand capital triste les masses. Heureusement, Camarade Papa va bientôt réussir la révolution et les gens vont redevenir le peuple, retrouver les sourires dessinés sur les posters venus de Chine populaire et des Soviets suprêmes se coller dans ma chambre. Le train part sans se soucier de mes pensées, sans un sourire de personne d'autre que moi dans la gare.

Dans le wagon, Camarade Papa parle fort. Personne ne se plaint. Il parle en français. Les gens tolèrent les bavardages dans une langue qu'ils ne comprennent pas. À la maison, Maman me parle le néerlandais de l'école, Camarade Papa le français de la révolution. Entre eux, ils parlent le cri. Le cri du peuple souverain pour dénoncer l'odieuse pression capitaliste sur les sources de ressources. Il y a aussi d'autres cris que je ne comprends pas. Mais le cri du peuple souverain entre Maman et Camarade

Papa, je voudrais l'entendre plus souvent. Au moins, ils sont avec moi ces moments-là. Dans le train, je vais passer beaucoup de temps avec Camarade Papa, je suis content et demi.

Les *grands-soirs-Maman*, elle écrit des notes dans la pile de livres sur son bureau. Je l'imite avec mes livres de classe. Je folle les maîtresses avec toutes mes notes dans les livres de l'école et de sa bibliothèque. Plus je note les livres, plus je reste avec Maman, alors je note. Et quand je note suffisamment longtemps, elle finit par s'arrêter de noter. Elle se lève, me serre dans ses bras. Maman dit que les histoires qui nous touchent, il faut les enfermer au fond de son cœur pour ne pas les oublier. Alors les *grands-soirs-Maman*, on fait des échanges de prisonniers : mes histoires de classe populaire, inclus les bagarres avec Marko-le-jaloux, contre ses rêves de socialisme africain. Elle parle aussi de formes agraires en Albanie ou en vraie Corée, celle du Nord, pas celle du grand capital. Je ne comprends pas tous les prisonniers de Maman. Mais elle a de si jolis mots. Mes prisonniers à moi, je les écartèle, les allonge, les découpe et, quand ils finissent, je les réinvente avec des mots que je fabrique pour que Maman les trouve jolis. Je reste avec elle le plus longtemps que peuvent mes mots et mon corps. Lorsque je suis sur les bords du sommeil, elle me fredonne une chanson de la bande à Amédée-Pierre.

Les lendemains de *grand-soir-Maman*, je finis mes nuits en classe populaire. Les maîtresses ne me dérangent pas. J'ai plusieurs leçons d'avance. Elles disent même que j'ai des années. Elles veulent que je parte dans une école spéciale loin du quartier. Sacriprivilège ! On vit dans le quartier rouge. Le plus beau de la ville. Camarade Papa refuse avec catégorie que je change de classe populaire parce qu'un bon révolutionnaire ne doit pas être coupé dans le peuple. C'est comme cela qu'on fabrique la bourgeoisie compradore. J'ai honte d'avoir ces années d'avance. Je ne veux pas être un patron chien, aboyer sur les ouvriers et cumuler comme ça les années d'avance sans les partager avec les masses laborieuses.

Les *grands-soirs-Camarade-Papa*, tout est instrument de lutte contre le grand capital aveugle et apatride. La maison devient Camp Révolutionnaire Anti Capitaliste : le CRAC ! Le frigidaire est la réserve vive ; les tiroirs de pâtes et de conserves, la réserve de prudence ; le balai, mitrailleuse automatique ; l'aspirateur, char d'assaut série T cuvée Joukov ; la chambrette, QG stratégique et centre de commandement ; les toilettes, camp de repli, ou en cas de bêtise, camp de redressement.

Le menu est prévu par plans quinquennaux de quatre jours. Je suis ministre selon ce qu'il y a à faire. Ministre des Affaires aquatiques et du bain, ministre des Études et de l'équipement scolaire, ministre des Affaires poétiques et du ravissement musical, ministre de la Guerre aux blattes et du papier à hygiène, ministre du Contrôle de la cuisson des pâtes et du riz, ministre des Ondes courtes et moyennes sur la radio… J'ai occupé tous les postes et titres nécessaires au développement du CRAC. Tous, sauf ministre de la Propagande, de la perspective historique et de la dialectique populaire. Réservé à Camarade Papa. Bonheur authentique des masses populaires, lutte permanente des classes et sans dire merci, union sacrée des forces ouvrières, Troisième internationale, peuples trop pressés, pays tordus non alignés, colonies infernales d'Afrique et d'Asie… Camarade Papa a de si jolies phrases qu'il ne me parle jamais : il me discourt. La Nouvelle Commune est notre idéologie officielle. Les jours où son visage est fatigué à force de traits occupés par la victoire finale des peuples contre le monstre capital, il s'oublie et s'arrête au milieu d'un hareng révolutionnaire. Il me regarde avec dans ses yeux quelque chose qui ressemble à de la pitié ou de la gêne. Je n'aime pas ces moments-là. Je ne veux pas le décevoir alors je milite de toute mon âme révolutionnaire. J'apprends par cœur ses discours à tension. Poing levé, bras tendu ou mouliné, index pointé, paumes ouvertes, face déterminée, regard à l'horizon, je les répète de tout mon mieux devant le miroir ou devant Yolanda. Elle ne comprend pas le français, mais elle me sourit de ses belles dents et me regarde aussi avec quelque chose dans les yeux qui ressemble à de la pitié ou de la gêne…

Les *grands-soirs-Yolanda*, elle est tout habillée et encore plus belle qu'en tenue de bisous. Elle ramène de la couleur, pas seulement à cause de ses vêtements mais parce qu'elle parle des blancs, des noirs et des marrons. Son pays, le Surinam, en Amérique des Indiens, est rempli de marrons de l'Afrique noire. Ils sont allés là-bas de force, pour le travail d'esclavage, qui contrairement au travail des travailleurs est travaillé sans être payé. Un non-sens marxiste-léniniste car tout travail mérite salaire, dit Camarade Papa.

Le travail d'esclavage n'existe que dans la tête de l'esclavageur parce que l'esclave est toujours libre dans sa tête. C'est pour ça qu'il est marron, dit Yolanda. À la première occasion, il part dans la forêt. Le marron connaît la forêt de l'Amérique des Indiens, la même que d'où il vient, dans l'Afrique noire de Maman et Camarade Papa. Les Boni-marrons de Yolanda sont une tribu de marrons qui ont quitté les plantations de l'esclavageur pour la forêt. Elle n'aime pas que je pose les questions sur le travail d'esclavage. Elle préfère me raconter des histoires d'enfants de sa tribu des Boni-marrons de la forêt verte. J'aime comment le néerlandais se transforme dans sa bouche lorsqu'elle me raconte ses histoires. Les mots qu'elle utilise, on ne les apprend pas tous à l'école. Ils dansent sur sa langue, glissent sur ses dents, se roulent sur ses lèvres. Elle raconte des histoires à beaucoup de rires. Ah ! la belle bouche de Yolanda quand elle rit.

À l'heure de dormir, je fais l'enfant comme elle aime. Elle me déborde sur le lit. Quand elle me chante des chansons de marrons de la forêt verte, sa langue devient complètement étrangère, mais j'entends son cœur, tellement ses bonbons pour messieurs sont près de ma tête. Yolanda, avec tous les bisous qu'elle vend, je sais qu'elle est plus fatiguée que moi. Les seuls soirs où elle n'est pas obligée d'en vendre, elle devrait se reposer. Je bâille et j'enferme mes yeux pour qu'elle pense que je dors. Avant de rentrer chez elle ou de repartir à la vitrine pour les yeux des gens, on fait notre signe. Pouce à l'intérieur de sa paume droite, elle appuie sur mon cœur ses quatre doigts écartés et après, elle appuie sur son cœur à elle. Son grand bonbon gauche pour messieurs essaie de sortir de sa chemise à fleurs quand elle fait ça. Après, c'est moi qui fais le signe sur son cœur et puis sur mon cœur.

Lorsque Ogun crée les hommes avec du fer et de la terre d'amour, ils ont quatre doigts sur chaque main. Un jour, un cinquième pousse à l'écart des autres. Il permet aux hommes de faire beaucoup de choses qu'ils ne peuvent pas faire avec les quatre premiers doigts seulement. La vie des hommes change. Mais le progrès, il porte les choses bien et les choses pas bien dans le même sac. La méchanceté et l'égoïsme viennent avec le cinquième doigt. L'humanité se divise, les hommes se déchirent, ils perdent la mémoire du bonheur passé. Mais dans la forêt verte, la tribu des Boni-marrons du Surinam de Yolanda se souvient encore que l'homme a été créé avec du fer, de la terre d'amour et quatre doigts égaux. Ils font notre signe pour ne jamais oublier.

CHAPITRE ROMAIN
DABILLY

À cause de l'orthographe de mon nom, la nationalité des «i» est la première subtilité qui m'interroge à l'école. «Il y a le "i" romain et le "i" grec, c'est ainsi. Arrête les questions idiotes et apprends!», s'exaspère le maître. «Les deux branches de leur "y", c'est toute la culture grecque. Les Romains l'ont ramassée en un point pour la rendre universelle. Le point au-dessus du "i", c'est le début de la vraie civilisation»: Père expliquant, réexpliquant à sa façon. La distance entre l'école et notre ferme est plus que physique.

Les matins, je fais le chemin avec Mère. Nous délaissons la route et prenons la «galerie», le tunnel de végétation le long de la Claise à l'origine du nom de la maison, la «Galerette». Il y fait plus doux l'hiver, plus frais l'été. Mère parle peu. Moi aussi. Nous marchons sur nos pensées. Dans les cimes, le ballet des écureuils; dans la brande, la danse des renards; dans l'air, le bourdonnement des insectes et le chant des oiseaux. Le martin-pêcheur est mon préféré. Son nom, son bleu plumage, son cri mécanique comme le bruit de la fonderie à mi-chemin. Il paraît qu'à Châtellerault, au «bout du monde», existe une fonderie encore plus grande.

À l'entrée du bourg d'Abilly, la Claise se fend en un «y» dont nous suivons la branche droite. Vus du pont en pierres, les bouleaux défilent en perspective cavalière jusqu'à la cascade artificielle dressée pour donner plus d'élan à l'eau qui se jette dans la grande roue du moulin de Rives. La dynastie Conty a transformé un ancien prieuré de filles en la plus grande minoterie de la région. Dans le capitulum où les prieuses lisaient le martyrologue, les meules de pierre actionnées par la force hydraulique écrasent le blé en libérant de fines particules inflammables et nocives pour les bronches. Mère y travaille et s'arrête là. Je continue à l'école, dans le dos de l'église dédiée à Martin, mon saint préféré.

Jeune, Père a quitté ce pays. On raconte qu'il a été jusqu'à Paris. Il est revenu à la mort de Grand-père. À ses côtés, «l'étrangère» déjà enceinte, ce qui fait de moi un enfant conçu dans le péché. Je ne suis peut-être pas le fils de Père. Mes cheveux roux et bouclés contrastent avec les siens noirs et touffus. Ses yeux trop bleus pour une telle tête brune, sa peau si pâle, Mère ressemble à ces catins des guinguettes parisiennes. Au village, depuis le temps où je comprends deux mots, on me rappelle ce florilège de mesquineries. Vivre et grandir à Abilly, un lieu dont on porte le nom à l'état civil, et ne pas s'y sentir chez soi. J'ai toujours rêvé partir. Au catéchisme, où je suis assidu, j'ai appris que la rédemption des âmes se faisait en partant. Seul, en bande ou avec tout un peuple, de la Genèse à l'Apocalypse, on part pour se sauver, accomplir une destinée.

Les dimanches, je sers à la messe. Ce court moment, je suis l'enfant de chœur, pas le fils de l'étrange et de l'étrangère. Père

Mathieu m'exhibe. Régulièrement, devant ses ouailles, je jacte des épîtres entières. En réalité, mon latin est des plus sommaires. Rigoureux au début de mes oraisons, je glisse peu à peu des bribes, puis des pans entiers qui n'ont rien à voir avec la langue des César. Seulement, j'ai une bonne mémoire et j'en maîtrise la musique. Un soir, je me confie au prélat.

— *Pater meus, chlamydem opto caedere et animas amissas tegere... tamquam sanctum Martinen.*

Père Mathieu en pleure d'émotion. Nous nous agenouillons. Il voit le plan du seigneur, moi le plan d'évasion. Une lettre de sa part et je me retrouve au séminaire de Tours... *tamquam sanctum Martinen*, comme saint Martin.

—

Quelques années de discipline, de prières et de vrais cours de latin m'ont cloîtré à la recherche du Discernement. Je ne suis jamais sorti plus loin que les murs de l'évêché. Mère mourante, j'obtiens une permission. Retour à Abilly. À la sortie du village, je prends la «galerie», notre chemin. Je le reconnais à peine. Les arbres ont rapetissé, pas d'écureuils, pas de martins-pêcheurs, pas de renards, la Claise tient plus du ruisseau que de la rivière. Je trouve Mère alitée. Elle a la peau encore plus blanche que dans mon souvenir. Ses yeux bleus s'allument quand elle me voit. Toujours belle, même quand elle tousse des petits nuages de farine et crache des glaviots de plâtre. Du champ, Père ramène des pierres. Des dizaines. Taillées, ciselées, polies, bifaces... Il les ramasse dans la terre retournée par la charrue et les accumule soigneusement dans ce qu'il appelle le «reliquaire», une malle au pied de la cheminée. Il s'adresse à ses pierres avec un sérieux de sénateur. À plusieurs voix, il reconstitue seul des conversations. Au début, on rit, on croit à une griserie. Mais les scènes sont longues et d'une dramaturgie complexe. Folie? Une évidence pour les voisins. Moi? J'en doute. Raconter n'importe quoi n'est pas une maladie, sinon la moitié du village serait internée. Et on n'emmène pas aux hospices un homme qui dans son champ travaille plus dur que les deux vaches devant la charrue.

Propagateur de la foi, précepteur, oracle, pythie, grand prêtre sacrificateur, légionnaire, sénateur... Mère reconnaît les personnalités qu'il endosse. Elle les identifie, leur donne des noms, sait leur répondre, devancer leurs discours, apaiser leurs peurs, calmer leurs ardeurs. L'état de Mère n'est pas étranger à l'état de Père. Et vice versa. Un soir, Mère se couche et s'éteint. Une bougie que l'on souffle, un liseré de fumée bleue, puis rien qu'une masse de cire. On l'enterre le lendemain matin.

Je n'ai pas le courage de m'en retourner tout de suite aux études apostoliques. Mère morte, Père coule. Petit à petit, le Romain devient son personnage principal. Son état empire. La charrue devient char, les vaches destriers, les hue et dia cris de gladiateurs. En faction, debout à l'entrée du champ, ou en embuscade, à couvert derrière un mur en pierre, il est toujours de garde avec son pilum, son bouclier, et une marmite d'étain en guise de casque.

Un matin de fin de garde, le Romain s'avance vers moi, tremblant et menaçant. Je m'effraie qu'il me traite de Gaulois.

Avant qu'il ne s'évanouisse, je l'entends souffler « *Tu quoque fili ?* » Je peux le coucher enfin. Quatre heures plus tard, alors que je lui passe une serviette sur le front, il se réveille en sursaut, yeux exorbités, irradiant de chaleur. Un filet de morve mêlé de caillots bruns qui s'écoule de sa narine gauche capte mon attention.

— Cette terre nous appartient. Nous l'avons soumise. C'est chez nous ici, tu entends, Maximus ? Nous leur avons donné la langue pour parler et apprécier le vin. Ces Gaulois nous doivent la civilisation. J'ai creusé les sillons. Il suffit de les suivre, mon bon Maximus. Si je tombe sur le champ de bataille, ramasse mon bouclier, mon pilum et les pierres. N'oublie pas le reliquaire. Promets-moi de prendre le reliquaire. Il porte la voix des ancêtres. Les pierres…

J'éternue. Une salve réflexe. Sous la poussée, des mèches de cheveux humides volettent du front de Père, qui s'arrête de parler. Il est aussi surpris que moi. Quand j'entrebâille la bouche en me contorsionnant le nez, il guette la réplique. Puis son visage se détend. Il me lâche, se renfonce dans les draps mouillés de transpiration. J'éternue une seconde fois. Dans le même lit que Mère, Père meurt dans la peau d'Abilius, légionnaire romain, fondateur d'Abilly.

—

Trois semaines, deux enterrements et une succession qui se résume à ma personne. Seul propriétaire de la Galerette, j'ai le sentiment de n'être jamais parti. La terre fixe les corps et les esprits. Si on ne me revoit pas, la Congrégation enverra un prêtre. Il trouvera maison close. L'idée me vient à l'écoute du martin-pêcheur. Son chant fait écho aux pistons de la machine à vapeur de la fonderie. Je veux aller à Châtellerault, le «bout du monde» de mon enfance. Je glisse la clé sous un biface taillé et poli par on ne sait quelles mains du passé, que Père n'a pas eu le temps de ranger.

La Claise et moi, nous coulons vers la Creuse, plein ouest. Ma propre ombre à mes trousses me donne la sensation d'être poursuivi par Père, ses monologues obsédés de civilisation. En pleine ferme, il reconstituait des scènes de l'Assemblée nationale. Ferry côté porcherie, Clémenceau vers le poulailler.

Sa représentation est élaborée. Il bondit aux vivats, brandit poing vengeur aux huées. Dans le palais Bourbon, l'honorable Jules Ferry hurle à gauche du perchoir :

— Je répète qu'il y a pour les races supérieures un droit, parce qu'il y a un devoir pour elles. Elles ont le devoir de civiliser les races inférieures !

Georges Clemenceau réplique du fond des bancs de droite :

— Depuis que j'ai vu des savants allemands démontrer scientifiquement que la France devait être vaincue parce que le Français est d'une race inférieure, j'y regarde à deux fois avant de prononcer homme ou civilisation inférieure !

Puis surgit le Romain en Père. Aux abris ! Bien sûr qu'il y a des civilisations supérieures. Au nom de quoi Rome lance-t-elle ses légions sur la Gaule ? Au nom de quoi la France lance-t-elle ses légions vers la *terra incognita Africae* ? Les débats d'aujourd'hui à l'Assemblée sont les mêmes que ceux d'hier à l'agora. Ma marche en direction du ponant transporte mes pensées vers les Amériques. Comme ce jeune et lointain continent nous est familier alors que la vieille et voisine Afrique est encore inconnue.

—

Blé, vigne, patates. L'origine de la sainte trinité pain, vin, soupe… Lorsque la campagne n'est plus que succession de champs, une ville n'est pas loin. Les routes s'élargissent, elles sont plus fréquentées. J'accélère le pas, contaminé par la frénésie sur les voies. Le déclin du jour me trouve au « bout du monde ». Châtellerault. Je demande mon chemin à un élégant coiffé d'un haut-de-forme, le visage mangé d'une barbe et barré d'une moustache. Son gant immaculé m'indique rue Bourbon, puis rue Saint-Jacques. Je me perds. Un autre haut-de-forme-barbe-moustache-gants-blancs m'envoie quai Napoléon Ier. Quand les noms de rues alternent canonisés et régents de France, les demeures sont cossues, les habitants élégants, les carrioles lustrées. Depuis la berge droite, je vois un pont maçonné. Technologie romaine : neuf jambes en voûtes de pierres soutiennent un tablier pavé. Je le prends. À gauche, toits en dents de scie et deux cheminées jumelles de briques rouges : la Manufacture des Armes de Châtellerault. Par groupes entiers, la fameuse Manu avale et recrache bleus de chauffe et casquettes : les manuchards. Un cœur géant qui bat les pulsions de sa machinerie crache dans le fleuve eau chaude et huiles bouillantes, exhale aux vents fumées et vapeur. Dans le ventre du monstre, de la lumière. Sous mes yeux éblouis, pour la première fois, le miracle de la fée électricité. Comme pour célébrer cette féerie, sonne Vêpres. Vingt kilomètres seulement, mais comme Moïse, Jésus ou d'autres *embiblés*, j'ai marché… Continuer ? Revenir sur mes pas ? M'arrêter ? Je sais que Châtellerault a été une pause sur la marche de saint Jacques. Je suis peut-être à une étape sur le chemin de ma Compostelle.

CHAPITRE ALSACE ALLEMANDE
DE FUSILS ET DE BLOOS

Châteauneuf est le nom du faubourg à la descente du pont. Queue leu leu de carrioles chargées, les rues sentent un mélange de crottins et de limailles en fusion. Habitats et ateliers s'empilent le long d'artères étroites. Loin les spacieuses rues et les spécieuses bâtisses du bourg de l'autre rive. Pas d'élégants pileux gantés à haut-de-forme, pas de carrosses lustrés, pas d'hôtels particuliers. À un pont près, un autre monde.

Je marche vers la complainte vespérale d'un clocher. Ce sera ma première messe depuis l'éternuement fatal. Dans la cour de l'église, une chapelle se niche à la droite de l'édifice principal. J'y pénètre en espérant trouver paix de l'esprit et repos des jambes. Elle est pleine. Je n'ai pas le temps de faire demi-tour, déjà se bouge-t-on au dernier rang pour me faire place. Un doigt dans l'eau noircie du bénitier, un signe de croix furtif, le bout de banc ne m'accueille que d'une fesse. Mes jambes n'auront pas le repos espéré. C'est l'*Agnus Dei*, la célébration est sur la fin. J'attends un *ritus conclusionis* dans les règles de l'art, et voilà que le prête se met à parler allemand. Pas orthodoxe dans une église catholique. Il achève l'office par un *auf Wiedersehen*, signal de cohue de sortie. Je suis bousculé et entraîné par mes voisins de bout de liturgie. La cour se remplit, à se demander comment tout ce monde a tenu en une si petite chapelle. Et surtout, pourquoi s'y sont-ils agglutinés quand est presque vide la nef principale? Cacophonie de la langue de Goethe dans la courée. Je suis perdu et cela se voit. Un homme m'accoste.

— Fous êtes zûr que za fa?

— Je vous demande pardon?

— Est-ze que za fa?

— Oh oui ça va. Je ne vous avais pas bien compris. Dites-moi pourquoi tout le monde parle allemand?

— Allemand? Perzonne ne barle allemand izi.

La réponse de l'homme est si ferme que je doute des cours de la langue imposée pour comprendre Bach et Haydn.

— Excusez-moi, j'ai cru que…

— Ne fous excusez pas. Nous zommes tous alsaciens et nous barlons alsacien, bas allemand! Bar contre, ne dites à berzonne d'autre izi qu'il barle allemand. Il risquerait de fous tuer.

— …

— Ne fous zinquiétez bas, che ne fais bas fous dénonzer.

Je dois faire une tête d'ahuri. L'homme rit et m'abat une tape dans le dos. Je la suppose amicale.

— Che m'appelle Pierre Munchène.

Poignée de main. Pierre est content que je sois venu dans la petite chapelle avec eux plutôt que dans la grande église des «autres». Il parle beaucoup malgré des «v» qui s'éventent en «f», des «s» qui zigzaguent en «z», des «j» qui échouent en «che», des «p» qui grossissent en «b» et quasiment tous les articles au masculin. Déchiffrer son propos à la vitesse de son discours est un miracle. Il s'interrompt pour me demander ce que je fais, je lui raconte ma marche jusqu'au «bout du monde», mon besoin de trouver gîte, couvert et repos pour la nuit. Sans hésiter, il m'invite à le suivre avec une phrase qui a autant de sens qu'une fin de messe en allemand... pardon, en alsacien.

— Afec tous les libres de l'atelier, on fête un noufèl immaculé. Fenez afec nous.

Mon premier soir à Châteauneuf-près-Châtellerault, je le passe dans un bouge ouvrier brouillé de fumée, de vapeurs de cuisine et de manuchards alsaciens.

En 70, à la débâcle de Sedan, Napoléon III marchande son auguste peau contre une pitoyable reddition. Conséquences en 71, pour ne pas que les casques à pointe paradent sur les Champs-Élysées, la bourgeoisie française cède à la noblesse prussienne l'Alsace et une partie de la Lorraine. Du jour au lendemain, pour tous les Alsaciens, la France ne coule plus de source. Elle devient une option administrative, déclarée et signée devant officier d'état civil. Pour circuler sans subir les brimades de la soldatesque occupante, obligation leur est faite de présenter le *Auswanderungschein*, permis de séjour sur leur propre terre. Dans ces conditions, beaucoup émigrent... en France. *Hallo* Charleville, Saint-Étienne, Châtellerault, etc. Ils s'établissent nombreux dans des villes où se modernisent les usines d'armement. Leur savoir-faire traditionnel en armurerie y est précieux. Il y a tellement d'Alsaciens à la Manu que

Châteauneuf prend parfois l'air et les accents d'un bourg du pays des cigognes. La petite chapelle où je me suis retrouvé est placée sous le patronage de sainte Odile, protectrice d'Alsace. Mais le prêtre officiant arrive fraîchement de Diebling, village de Moselle.

— Comment peuvent-ils nous envoyer un curé de Diebling ! Ces traîtres de Mosellans, ces fils de mercenaires, ces descendants de tueurs à gages, eux qui parlent allemand, rêvent d'être allemands, sont restés français. Et c'est nous qu'on germanise ! Quel que soit le temps que durera cette honte, on aura notre revanche. Crois-moi, un jour, Strasbourg sera capitale d'Europe.

La prédiction est du meilleur ami de Pierre : Schäkele. Nous marchons dans le sens de la Vienne. Par couches successives depuis l'usine, des vagues d'Alsaciens se sont installées le long des quais. À deux pas du cimetière, notre bande investit une ancienne coutellerie transformée en auberge.

Attablés, difficile de suivre l'alsacien des conversations croisées. À mes côtés, malgré son accent, Pierre se fait mon premier interprète. Autour de la table de chêne valsent les cruches de vin, rosissent les pommettes, forcissent les voix. Une palette de porc sur un lit de choucroute et pommes de terre fait la tournante. Entre deux bouchées de viande, Pierre parle de Stek, contrôleur d'armes. Un Alsacien important. On dit qu'il a l'oreille de l'entrepreneur Treuille qui, comme les Conty, fait partie des grands investisseurs de la Manu. Stek est à l'origine de nombreux *immaculés*. Deux statuts inégaux se côtoient à l'usine. Les « libres », appelés sur de courtes durées ou seulement lorsqu'il y a surcroît de travail. Les « immatriculés », qui ont la garantie, les avantages de l'emploi pour eux et leurs familles. La timbale! Les appeler *immaculés* est un trait d'humour alsacien.

Ce soir-là, on fête Schäkele. Fileteurs, garnisseurs, forgeurs, fondeurs, platineurs, patineurs, menuisiers, etc., tout le monde parle couramment le MAC, la langue de la Manufacture des Armes de Châtellerault. À coups de percuteurs, crans, chiens, ressorts, gâchettes, tenons, canons, manchons, butées, culasses, chambres, extracteurs, etc., on devise sur l'intimité des Chassepot, des Gras et des Lebel. Le bien nommé Lebel, dernier venu à la Manu, déclenche une logorrhée d'où fume la passion. Lebel est beau, Lebel est rapide, Lebel ne chauffe pas, Lebel ne s'enraye pas, Lebel est à répétition, il insiste pour donner la mort. «Ah si on l'avait eu à Sedan!»; «Pourtant, nos Chassepot étaient meilleurs que leurs Dreyse»; «Les généraux ont vendu la bataille»; «Il y aura une prochaine fois et on aura nos Lebel»... Les Alsaciens de Châtellerault font plus que fabriquer des fusils, ils fourbissent des armes.

La nuit est avancée. Dans le tournebride, nous sommes les derniers. Les vestiges du repas encombrent la table. Le ballet des cruches s'est apaisé. Les fusils embouchent sur le mal du pays. Où l'on parle de fête de village au rythme de *bloosmuzik*, où l'on maudit l'exil forcé, où remontent les images de parents restés là-bas. En nostalgie, la langue est maternelle. Schäkele prend le parti de sortir la tablée de la mauvaise bile. Il attaque Pierre.

— Hé l'ami Peter, raconte-nous une belle histoire.

— Bierre mon cher Chacques, Bierre...

Rire général. Surprise personnelle.

— Il s'appelle Peter, Peter München. Il a francisé son nom en Pierre Munchène. Pourtant, de nous tous, c'est le seul qui a du sang allemand. Il est né là-bas, a grandi là-bas, dans la famille de sa mère. On ne sait pas ce qui l'a ramené. C'est à cause de lui que Guillaume voulait l'Alsace.

Rire général.

— Elsass ne sera plus chamais franzaisse. Che gagne du temps mon frère Chacques, che gagne du temps.

Pierre ou Peter n'est pas désarçonné. Il se tourne vers moi.

— Schäkele, z'est Chacques. À l'école, z'est décha comme za qu'on appelle zon betit. On fa tous finir afec de frais noms franzaisse. Comme les chénéraux de Naboléon, ils zont en retard d'une guerre.

Rire général. Ce Schäkele qui est Jacques, ce Pierre qui est Peter, ces Alsaciens qui sont allemands, ces Mosellans français, ce Père romain… cette journée a un sens. Il me faut trouver lequel. Comme s'il lit mes pensées, Schäkele me demande où je vais. Toutes les voix de la table s'invitent à la conversation.

— Là où on ne me parlera pas de civilisation.

— Alors tu pars en Afrique.

— Mon cheune cousin, il y est actuellement. Il z'appelle Louis-Gustave. On l'appelle LG chez nous.

— Il est où exactement ?

— Il est de Niederbronn, près de Sarreguemines.

— *Woher !* Nicht *wo !*

— Il a demandé où, pas d'où !

— Congue, on m'a dit Congue.

— Il fallait entendre Congo.

— Comment che beux zavoir ?

— En Afrique, il y a le Congo et le Soudan. C'est tout.

— Zoudan, za me dit quelque chose.

— C'est bien ce que je pensais. Ton cousin, il est parti au Congo du Soudan.

Les interventions fusent. Les bijections de dialogues sont aléatoires. J'entends pour la première fois le nom de Binger.

— À zon départ, il a churé à ma tante de refenir afec un territoire dix fois plus grand qu'Elsass et Lorraine réunis.

— Rien n'est plus grand que l'Alsace et la Lorraine.

— Che parle de zuberficie.

— Et où il le mettrait son territoire ?

— Dans la poche, pardi.

— Comment ?

— Des témoins, un encrier, une plume, un papier, une croix de nègre dessus et c'est dans la poche.

— Oui, il a raison. Les territoires d'Afrique, ce sont des croix sur des papiers. Y a pas longtemps qu'on a décidé les règles et une organisation pour se les partager. Et quand on parle organisation, les Allemands ils rappliquent. Bismarck-chapeau-pointu-dans-mon-cul, il a monté le coup à Berlin.

— Salauds de tireurs de Dreyse, leurs fusils pourris ! On les laisse toujours faire.

— Il y avait qui là-bas ?

— Toute l'Europe. Même ces attardés de Belges.

— Paraît même qu'un Anglais nous a sifflé tout le Congo.

— Le Congo du Soudan ?

— Non, le Congo du Congo.

— Si le Congo est aux Anglais, nous on a quoi ?

— Le Congo n'est pas aux Anglais, il est aux Belges.

— Alors pourquoi l'autre zouave dit que les Anglais nous l'ont sifflé ?

— Je n'ai pas dit les Anglais. J'ai dit un Anglais. Stanley, c'est le plus grand explorateur depuis Christophe Colomb. Il a donné tout le Congo au roi des Belges, son patron.

— Et il paraît que c'est là-bas que se trouvent les mines du roi Salomon.

— Les mines du roi Salomon dans les mains d'un Belge ?

— Ô zainte Odile, les Zanglais defraient couper la tête d'un traître bareil.

— Et ce sont ces terres-là qu'on a perdues…

— Non, on ne les a pas perdues puisqu'on ne les a jamais gagnées. On était occupés à perdre les terres d'ici.

— Mines de Salomon ou pas, on n'a rien à faire de terres de nègres quand on n'est pas capables de garder nos propres terres.

— Tous ces morts chez nous, cela aurait eu plus de sens si au moins il y avait de l'or sous nos églises. En Afrique, il y a de l'or partout. On devrait aller s'entretuer là-bas. Au moins, on aurait des raisons solides.

Schäkele, spécialiste de la question, sort *Le Moniteur des Colonies*, journal d'information, 8 rue Joubert, Paris 8ᵉ. Lecture sentencieuse à haute voix, avec roulement de « r ». Récits d'explorateurs français. Les voyages des Gentil, de Brazza, Mizon, Dybowsky, sont appelés « missions », vocabulaire républicain officiel. Nègres inhumains, sanguinaires, diaboliques, anthropophages, perfides, primitifs concourent de sauvagerie avec les bêtes en des contrées infestées de mystérieuses maladies foudroyantes. Je crois entendre Père à propos des Gaulois au temps des Romains. *Le Moniteur des Colonies* dramatise les disparitions. À vaincre sans péril... Les réussites n'en sont que plus héroïques. Un article évoque « La Maison Verdier » et sa Côte de l'or française, voisine de la *Gold Coast* anglaise. De l'or ! Les distraits se taisent, les assoupis s'éveillent.

— À la Manu, ils ont décidé d'arrêter de transformer les Chassepot. On ne fabriquera que des Gras neufs.

Les Alsaciens prennent pitié de mon air interrogateur.

— Les Chassepot sont maudits ! Malgré leur supériorité, ils n'ont pas empêché le malheur prussien de tomber. Aujourd'hui, ils sont dépassés ! Mais il y en a des centaines de milliers en stock. On ne va pas quand même pas les jeter...

— Alors on les transforme...

— Les chambres de Chassepot prennent de vieilles cartouches en papier qui font trop de bruit et trop de fumée. Dans un feu nourri, le soldat, s'il est encore vivant, finit sourd et aveugle...

— On agrandit la chambre pour laisser passer plus d'air, on la renforce pour qu'elle prenne des balles métalliques et abracadabra, Chassepot devient Gras.

— Techniquement, on ne peut pas transformer tous les Chassepot. C'est plus simple de fabriquer directement des Gras...

— Les dizaines de milliers qui restent, on les envoie à La Rochelle d'où ils partent pour la conquête des Congo et Soudan...

— Le nègre est quand même moins coriace que le Prussien. Deux coups, *Pan pan!* Il court dans tous les sens. À nous la côte de l'or, la côte de l'ivoire, la côte des palmes, la côte de porc, la côte de bœuf et toutes les côtes...

Rire général.

Je demande à l'assemblée comment sont transportés les fusils à La Rochelle...

—

«Dieu est un patron, la terre est sa Manu»; «On dit condition ouvrière, jamais condition patronale»; «Prier bien pour être immaculé, travailler bien pour être immatriculé»; «Au paradis immaculé, à la retraite immatriculé»; «L'église exploite l'âme, l'usine le corps»... Au bout de la Grand-rue, dans un réduit insalubre, je partage le lit de Pierre et ses innovantes idées sur Dieu, les patrons et les ouvriers. Il va souvent aux rencontres de monsieur Krebs, un monteur de sabres qui parle de solidarité ouvrière comme d'une arme. «Elle est aussi irrésistible que la chute du marteau-pilon. À l'impact, elle provoquera une grande secousse». Pierre prend des notes qu'il me lit.

Pour la première fois, je gagne ma vie en travaillant. Mes amitiés alsaciennes me valent d'être aux effectifs des «sans qualif». Manutention et nettoyage sont à la portée de tous. Le plus dur est d'être «appelé». Tous les jours, je suis posté devant les ateliers, impassible, au même endroit, quel que soit le temps. La meute des «sans qualif» prie pour les apparitions intermittentes de la «braille», l'homme qui aboie les noms et les fonctions des chanceux du jour. Il y a de la religion devant la Manu. « Les usines sont les nouvelles cathédrales. Le patron est Dieu, l'ouvrier est sa créature », dixit Pierre Munchène. J'ai honte de ressentir une plus grande émotion à pénétrer à la Manu que lorsque j'ai mis les pieds la première fois à la cathédrale de Tours.

Les bâtiments de la Manu sont des volumes gigantesques, des titans excavés couchés est-ouest sur les bords de la Vienne. Dans leur ventre, pas un mur, pas une paroi, juste des piliers strictement alignés pour soutenir les sheds, la toiture en dents de scie. La logique de succession des ateliers n'est évidente que pour un démiurge au fait de tous les métiers, les ateliers, les machines, les matières, les produits. Le travail est à la chaîne. Chaque étape, même la plus anodine, est scrutée par un surveillant, sorte de sergent qui comme dans la troupe, fait office d'aboyeur d'ordres. Au-dessus du surveillant, les maîtres d'atelier, au-dessus desquels trônent les contrôleurs d'armes comme Stek. L'organisation est militaire. On fabrique des armes, somme toute. Condamné à la répétition des gestes, des mouvements et des déplacements, chaque ouvrier est fixé en un endroit précis de l'usine. Ménage, manutention, rangements, courrier, courses…, le « sans-qualif » n'intervient pas toujours dans la chaîne de production. Il peut être appelé dans tous les ateliers. À Pierre, je décris des endroits où il n'a jamais mis les pieds. La forge, les fours, il n'en sait que ce que l'on raconte sur la chaleur qui y sévit et la prime « cuisson » qu'on y touche. Le marteau-pilon, il n'en connaît que le bruit et les secousses propagés dans toute la ville. Paradoxalement, cette séparation fonctionnelle insuffle aux ouvriers un esprit de corps. Le travail des uns ne trouve sens que dans celui des autres. Comme l'autre soir, il faut être plusieurs pour parler avec précision de la fabrication d'une seule arme. Je comprends pourquoi la parole circule si facilement dans un groupe d'ouvriers.

Cela me prend neuf mois de «braille» et une dizaine d'«immaculés» pour tomber sur l'occasion que j'attends. Un convoi transporte des caisses de Chassepot et de munitions à La Rochelle. Bombardé bâcheur, recouvrir ou découvrir les chariots est ma fonction. Les Alsaciens savent que je ne reviendrai pas. Les adieux avec Pierre n'ont de solennel que ma promesse de rencontrer son cousin LG. Je m'en garderais si je devinais la taille de l'Afrique que j'ai assumée comme destination dès ma première soirée à Châteauneuf. Mais parfois, le destin veille même sur les déclarations les plus farfelues.

—

La Rochelle en deux jours. À l'arrivée, mon soulagement n'est pas lié au seul inconfort du moyen de locomotion. Assis sur des caisses de munitions et des barils de poudre, chaque cahot rappelle le risque de trépas dans un feu d'artifice.

Le nouveau port creusé dans le village de La Pallice est le centre d'activité de la ville. Rues droites, angles droits, bâtiments rectangulaires, tout est construit pour rendre aisé et rapide l'accès à la mer. Chantier grouillant sur une surface des centaines de fois plus grande que la Manu, l'activité des hommes et des machines y est tout aussi frénétique. Des entrepôts en regard du port sont le point d'arrivée des chariots. Au frontispice : « CFK : Compagnie Française de Kong ». Le « Congue » de Pierre. Collusion des signes. Fin de mission après quelques heures de transpiration sous la criée d'un contremaître. La pile de caisses est rangée à côté d'un tronc d'arbre au diamètre grand comme deux hommes l'un sur l'autre. « Alépé 2385 » écrit au pochoir sur sa tranche. Le criailleur a dû avoir une extinction de voix le jour de la manutention de cette grume. Un ouvrier trop curieux fait les frais de sa vigueur.

— Ne touche pas ce tronc. Tu vas le contaminer avec les champignons de ton taudis. Tes trisaïeuls ne vagissaient pas qu'il était déjà fringant dans sa forêt cet arbre ! Il faut respecter les grands morts, sacré nom d'une négresse endiablée !

Je m'approche du hurleur pendant que s'efface le hère.

— Monsieur, s'il vous plaît, je souhaite partir en Afrique. Saurez-vous m'adresser quelqu'un ?

Un tronc s'abat en travers d'une rivière, le flot s'interrompt net. Il se retourne vers moi, les yeux, les narines et la bouche dans le même état rond comme un O. Il me toise. Lentement. Je ne sais pas diriger mes yeux ailleurs. Je soutiens son regard. L'impression d'être à un duel : les Chassepot ne sont pas loin. Progressivement, l'eau de la rivière monte, finit par déborder le tronc.

— Amédééééééééée !

Plus jamais mon propos n'aura effet aussi retentissant.

Une paire de défenses d'éléphant encadre la fenêtre ouverte sur le quadrilatère de la rade du port inachevé. Dans le bureau, plantation de statuettes sur le plancher, rideau de masques sur les murs, peau de félin en tapis. Haut-de-forme-barbe-moustache-gants-blancs à la mode rive-droite-Châtellerault, Amédée Brétignière dégage intelligence, force morale et douceur sur des traits d'une beauté presque féminine. Teint pâle, essoufflé à chaque phrase, il parle lentement. Bêtes sauvages, insectes voraces, maladies foudroyantes, chaleur étouffante, marches épuisantes, solitude..., son tableau est noir. Mon absence de réaction l'encourage peut-être. Ses phrases n'allument rien en moi. L'esprit ne réagit qu'aux idées qu'il peut concevoir. Je ne suis pas plus ému qu'à l'écoute d'un conte rempli d'ogres. Pour moi comme pour Jules Ferry et ses sénateurs civilisateurs des bancs de gauche, l'Afrique est inimaginable. Elle ne peut pas faire peur.

Amédée me tend une feuille manuscrite à en-tête de la Compagnie Française de Kong. Je couche ma signature à côté de celle du dénommé Arthur Verdier, Résident de France à la Côte de l'or, Rivières du Sud et dépendances. À partir de ce moment, Joseph, le contremaître hurleur, me parle en des intensités sonores supportables quoiqu'au-dessus des normes de conversation en bonne intelligence. Les contes d'Amédée changent de couleur. Des noms propres apparaissent. « Treich », « Anno », « Agny », « Krinjabo », « Élima ». Amédée est docteur en droit, j'en entends sur des démêlés juridiques avec les Anglais. Lorsqu'il aborde une certaine Élima, je me laisse guider par la passion dans sa voix.

— La plantation de café d'Élima, c'est une idée d'Arthur. Il m'a envoyé chercher des plants au Libéria où son frère Ernest est consul de France. La petite nation noire, voisine ouest de la colonie, a été créée par l'American Colonization Society, un groupe de philanthropes menés par le neveu de George Washington. Ces hommes blancs ont acheté en masse des esclaves noirs d'Amérique, les ont libérés, et sans leur donner le choix, les ont transplantés en pleine forêt d'Afrique, en même temps que des espèces végétales comme l'hévéa, la canne à sucre et le café. L'école d'Élima, c'est mon idée. Un jour, un Agny m'a dit : «Où les plantes poussent bien, les hommes poussent bien.» Cela m'a donné la vision. Au début, Arthur n'en voulait pas. Moi j'étais sûr d'obtenir une contribution de l'administration. Une belle lettre au ministre de la Marine avec ampliation pour le lieutenant-gouverneur, et on nous a affecté un instituteur. En attendant qu'il arrive, Madame Keller, la femme de notre contremaître alsacien, m'a aidé pour les premières classes. Monsieur Jean-d'heur, maître d'école deuxième catégorie, est arrivé juste avant que l'infection ne me renvoie ici…

Amédée souffle. En même temps que les souvenirs, la maladie se rappelle à lui.

— Je ne peux pas rester. Il faut que je retrouve Treich ; notre école ; notre maison blanche sur la colline au-dessus du lac ; notre arbre, un fromager géant ; nos trois petits cochons, comme on a surnommé les trois vapeurs, le *Paul Bert*, le *Chanzy* et le *Jules Ferry* ; nos travailleurs qui aiment quand je crie «Ndè-ndè ! Ndè-ndè !» ; tous les moments que nous partagions, Treich et moi, loin des yeux inquisiteurs des petits coloniaux d'Assinie et Grand-Bassam ; nos projets, toutes ces prospections, ces relevés topographiques pour tracer une carte du pays… Il faut que je retrouve nos vies réinventées loin d'ici. Non, je ne peux pas rester à La Rochelle. Je n'ai rien à y vivre.

CHAPITRE PENDULÉ VOLANT
UTA

De l'eau, des canaux, des ponts, des maisons, des vaches, de l'eau, des canaux, des ponts, des maisons, des vaches… Sous les fenêtres du «Amsterdam – Paris 09 h 58», le paysage fait le grand défilé, et Camarade Papa les grands discours. Je les connais tous, mais j'écoute ce qu'il faut pour éviter un redressement idéologique. Dans la banlieue d'Amsterdam, Camarade Papa sort la mitrailleuse lourde pour rafaler l'écusson bleu-blanc de Philips sur une façade d'immeuble. La mitrailleuse lourde, ce sont les deux poings qui remuent pendant que la bouche fait «Tou! Tou! Tou!» La mitrailleuse légère, ce sont les deux index l'un derrière l'autre avec un «Ta! Ta! Ta!» bien sec. Les Philips, la bourgeoisie hollandaise collabo dans les expériences avec les fascistes pendant la petite guerre, plus longue et meurtrière que la grande guerre. Ils ont fortuné à vendre de la lumière et du son. Une honte. S'enrichir sur le dos des vibrations fondamentales de la nature! À la victoire finale des luttes prolétariennes, il y aura des exécutions sur la place publique. Les Philips seront pendulés en même temps que leurs ampoules au-dessus de la piste de danse de la nouvelle dictature du peuple. Éclairage gratuit, musique gratuite, télévision gratuite, cinéma gratuit pour tous. De la même façon qu'ont été abolies les lois sur le travail d'esclavage des marrons de la forêt verte, le peuple souverain abolira les égoïstes droits de hauteur pour les remplacer par les droits du peuple. L'art, même le plus égocentré, est collectif, dit Camarade Papa.

Dans la chaîne des discours de Camarade Papa, après les Philips, il y a les tulipes. Ce sont des fleurs turques qui ont attrapé la coqueluche chez les bourgeois hollandais il y a longtemps. Bien avant la vapeur anglaise, les bourgeois protesteurs hollandais utilisent la fleur turque pour fabriquer une bourse. La fleur n'est pas très belle, même les moutons refusent de la brouter. Mais à cause de la pluie value, ils s'achètent et se vendent la mauvaise herbe. Ils inventent le capitalisme des bourses. Il ne vient pas d'Angleterre, tout le monde s'est trompé, Marx et son ange aussi. À partir de la Hollande, pays après pays, ce capitalisme bourses soufflées contamine le monde. Sans le mois d'octobre rouge, la grande URSS aurait été atteinte. La Chine est sauvée par le Camarade Mao et ses mollets qui savent faire des grandes marches et des grands bonds en avant pour fuir les épidémies. Camarade Papa, il appelle la Hollande Patient Zéro. Comme un chercheur, il est venu ici avec Maman pour comprendre Patient Zéro et trouver le vaccin mondial contre le grand mal des bourses. Je suis né à Amsterdam par la faute des tulipes. À la fin de ce discours, il y a aussi des pendules publiques de suppositoires du grand capital et des abolitions en pagaille.

De l'eau, des canaux, des ponts, des maisons, des vaches, de l'eau, des canaux, des ponts, des maisons, des vaches… Je ne vois jamais le peuple souverain par la fenêtre. Le paysage continue son grand défilé, et Camarade Papa ses grands discours.

En classe populaire, lorsque les maîtresses demandent la capitale de la France, je réponds en criant : Commune-de-Paris ! Sur le sujet, Camarade Papa est pris de fortes crises de fièvre. On ne peut pas l'arrêter. Je suis né réactionnaire. Et réactionnaire, c'est la pire des choses, car on est actionnaire deux fois. J'ai déjoué les calculs scientifiques pour arriver au monde le 18 mars, anniversaire de Commune-de-Paris, dit Camarade Papa. Je suis né le 18 janvier.

Commune-de-Paris commence dans les chants, les fleurs, et la fraternisation avec les forces rétrogrades. Ça dure soixante-douze jours de bonheur du peuple qui regrette juste le pain frais du matin à cause des boulangers obligés de dormir la nuit pour être heureux comme tout le monde. Mais Commune-de-Paris finit prématuré, comme moi à la naissance. À travers un judas, un traître a fait rentrer des milliers de versailleurs dans la ville. Cent mille ! Camarade Papa crie toujours le nombre les dix doigts en l'air. Tout cela le met dans un État. Il vire-volts quand il en parle.

Les versailleurs sont comme les tirailleurs des colonies infernales d'Afrique et d'Asie, des traîtres qui visent tellement mal qu'ils tirent sur leurs propres peuples souverains. Avec un Thiers de chef, les versailleurs tirent sur tout ce qui bouge, pendulent dans les arbres de la belle ville tout ce qui est debout. Ceux qu'ils attrapent, ils les exécutent face à un mur sur les chaises d'un cimetière pour s'éviter de transporter les cadavres. Sur le mont Martre, il y a moins d'arbres, donc moins de pendulés, donc beaucoup plus de sang du peuple souverain. Il y en a tellement que les versailleurs arrosent les vignes avec. C'est le moment où je pleure un peu et où Camarade Papa souffle tellement fort que sa tête peut toucher son ventre.

Trois minutes d'arrêt à la gare du midi de la Bruxelles des choux le calment. Il en profite pour sauter sur les aventures du Léopold numéro 2, roi des Belgicains et saigneur du Congo. Je suis heureux parce que dans ce wagon, pour la première fois, Camarade Papa et moi on passe ensemble suffisamment de temps pour qu'il m'enchaîne les oreilles des Philips, des Tulipes, de Commune-de-Paris et des colonies infernales d'Afrique et d'Asie. Quand passe le contrôleur de billets, authentique suppositoire du grand capital, l'histoire du Congo en est au complot international contre le vendeur de bière Lumumba. L'Afrique m'a toujours fait peur. En plus du sang renversé à la colonisation, Camarade Papa il parle toujours d'enfer d'aliénation. Je finis par croire qu'en Afrique, il n'y a que des diables et des fous…

—

Ce qui doit arriver arrive toujours, dit Yolanda. Cela fait trop longtemps que nous sommes ensemble pour ne pas qu'il y ait cette chose étrange. Au beau milieu de mon histoire préférée, le retour en cercueil du docteur Frantz, soigneur des fous d'Algérie, un marron avec un masque noir et une peau blanche ou peut-être le contraire, la «tais-toi» de Camarade Papa est tombée. Un silence de *Oude Kerk*, rempli de cadavres du lumpen-prolétariat qui n'ont rien à dire vivants, encore moins quand ils sont morts. Ça dure un temps long, rempli, à l'oreille, du boogie-woogie des rails et, aux yeux, du grand défilé du paysage. Le jour du voyage de Maman pour le paradis socialiste du camarade Hodja, il a fait la même chose. Et il m'a appelé Citoyen. Pas Camarade, Citoyen. La première fois. C'est la deuxième.

— Citoyen !

— Oui Camarade Papa.

— Citoyen, nous sommes tous des appelés.

— Oui Camarade Papa, tu peux m'appeler. Prêt pour la révolution, toujours !

— Ta maman n'est pas partie, elle a répondu à l'appel.

— Oui Camarade Papa.

— On n'a plus aucune raison de rester là-bas s'il n'y a plus ta maman.

— Oui Camarade Papa.

— Je sais que tu es un bon petit révolutionnaire et que tu te débrouilles très bien, mais je ne peux plus te laisser seul aussi longtemps dans le CRAC sans ta maman.

— Oui Camarade Papa.

— Les collabos des services sociaux…

— Oui Camarade Papa, les collabos.

— Ils sont capables de te déporter dans les foyers d'accueil, ces goulags capitalistes pour enfants du prolétariat.

— Oui Camarade Papa.

— Avec les camarades de France, on prépare quelque chose de très important pour la révolution en Afrique. On va leur faire le coup de la *Granma*, le bateau du débarquement à Cuba. Ça a marché avec Fidel, ça va marcher avec nous.

— Oui Camarade Papa.

— Il faut que je te mette à l'abri.

— Oui Camarade Papa.

— Là-bas en Hollande, ce n'est pas chez nous.

— …

— Tu comprends ?

— …

— C'est important que tu comprennes. Nous devons bien préparer notre révolution à nous. On la fera ailleurs. Il n'y a plus rien à faire pour le grand malade capitaliste d'ici.

— …

— On n'a personne, on n'est personne.

— Yolanda…

— Ce n'est pas possible de te laisser avec elle.

— Yolanda ?

— Elle n'a pas le droit de te garder. Ce n'est pas ta mère. Elle n'est même pas de la famille.

— La tribu des marrons est notre famille.

— Citoyen, la tribu des marrons, ce sont des contes. Où tu vas, il y a beaucoup de Yolanda qui vont bien prendre soin de toi, tu vas voir.

— Beaucoup de Yolanda ?

— Oui. Tes oncles, tes tantes, tes cousins, ta grand-mère, ta vraie tribu est là-bas.

— …

— Citoyen, je suis fier de toi, tu sais. Ta maman aussi, elle est fière de toi. Tu es le plus grand petit révolutionnaire qu'on connaît.

— …

— Écoute bien, je t'envoie en mission ! Tu vas faire un grand et beau voyage. Pour ta maman et moi, tu es notre premier agent d'infiltration dans ce monde. Tu es le meilleur, le plus beau de tout ce qu'on a pu faire et lire ensemble jusqu'à présent. On ne va pas laisser l'ennemi te capturer. Ta mission révolutionnaire est au-dessus de tout.

Surpris par un vaillant «Oui Camarade Papa, vive la révolution !», tout le wagon me voit debout, poing levé, accepter ma mission. J'exécute le salut révolutionnaire à la perfection. Camarade Papa me regarde, avec dans les yeux quelque chose qui ressemble à de la pitié ou de la gêne.

—

Barricade : zéro, rassemblement : zéro, chants de partisans : zéro. Aucune ferveur, aucun signe de fraternisation des forces rétrogrades ; *Centraal* et *Gare du Nord* se ressemblent. Des gens, pas un peuple. Des visages odieux. Les vrais Communards ont sûrement tous été mal sacrés face au mur dans le cimetière. Ne restent que des versailleurs et leur Thiers de chef, un Adolphe comme l'autre et ses nausées gammées. Toutes ces tristes têtes, heureusement que Camarade Papa et les nouveaux révolutionnaires vont les couper le jour du grand soir. Décevante Commune-de-Paris. On la quitte pour l'aéroport du bourgeois, rempli d'avions à réactionnaires.

— Jamais Air France ! Ils ne transportent que la bourgeoisie compradore. Le peuple souverain, ils le déportent. Jamais

Air Afrique ! Une compagnie de coloniaux d'enfer et d'aliénation qui ne rêve que d'imiter ses maîtres en reproduisant dans les airs la réaction bourgeoise française à la sauce africaine. Toujours UTA ! Ah, UTA ! Union des Transporteurs Aériens. Quand tu entends Union, la sainte classe ouvrière n'est jamais loin, debout pour faire face au patronat scélérat. UTA, la seule compagnie volante avec un actionnariat ouvrier. Ce n'est qu'un début. On continue le combat. Bientôt, les ouvriers vont prendre le contrôle total. Ils vont peindre les avions en rouge. Les ouvriers de Renault, Matra, Simca, Peugeot vont suivre. Autogestion ! Toutes les voitures seront rouges, Citoyen.

Camarade Papa est bien réveillé de sa taise de silence. Nouveau et dernier discours. On est devant le comptoir UTA. Une femme sourit. Elle me demande de la suivre. Elle est brune et n'a pas vraiment une tête d'ouvrière dans sa tenue bleu-rois-de-France-féodale. Mais j'ai confiance en Camarade Papa. Surtout quand il m'appelle Citoyen. Il me fait un signe de la main avant que je ne disparaisse au bout d'une allée avec la dame. Un couloir, une porte-tourniquet, une porte coulissante, une porte à serrure, une porte magnétique et me voilà dans un bureau derrière des portes à battants. On me passe un sac-à-cou aux couleurs bleu-rois-de-France-féodale de la compagnie. Mon nom est écrit dessus au marqueur noir. Les lettres ont des bouts ronds comme l'écriture de Maman, en moins joli. La femme du comptoir est gentille et me demande ce que je veux boire.

— Coca-Cola, Pepsi, Fanta, Seven Up, Miranda, Dr Peper, Squirt, Orangina ?

J'ai soif, mais je repousse avec mépris les boissons du grand capital. Je ne dis rien. Une autre dame en bleu-rois-de-France-féodale s'approche de moi. Celle-là a une tête de versailleur croisé patronat. Un monstre. Elle se baisse, m'observe, me pose quelques questions auxquelles je ne réponds pas. Elle finit par éclater un rire. Selon elle, j'ai une tête attardée comme toutes les têtes d'enfants noirs. Sauf que je ne suis ni enfant, ni attardé, ni noir. Ses cheveux blonds sont à portée. Réaction : tirage automatique de cheveux et lutte de classe. Marko-le-jaloux aurait apprécié. Le monstre hurle. Moi, je me pleure. Je me pleure de tout. Maman, Camarade Papa, Yolanda, les vitrines, la bande à Marie-Anna, De Wallen, la classe populaire, la lutte des classes, les maîtresses, le CRAC, la révolution... Je me pleure de tout. Même Marko-le-jaloux. Je ne sais pas combien de temps. Belle lurette après, du cheveu blond déborde encore de mes poings serrés. La dame brune du comptoir des couloirs et des portes etc. fait de son mieux pour me consoler. Sans trop s'approcher, elle ne me quitte plus, m'accompagne même jusque dans un avion. Je ne suis pas impressionné, je me pleure toujours. Elle me ceinture sur un siège. Sûrement la peur que je m'enfuis comme les Boni-marrons de Yolanda dans la forêt verte. Lorsqu'elle me montre un sac-à-vomir, j'arrête brusquement de me pleurer. La dame du comptoir du couloir et des portes etc. est surprise. Elle essuie mon visage et me fait souffler de l'air morveux dans un mouchoir en coton d'esclavageur. Elle est très occupée de moi. Finalement, je lui trouve une tête d'ouvrière. Je lui demande mon sac de l'école. J'en tire un petit bonbon pour enfants de Yolanda. Le reste, je les mets dans le sac-à-vomir que je pose à côté de moi. J'embouche le bonbon et je sors le livre de Maman. Il a une couverture rouge. Le titre est en lettres d'argent : *La Littérature et les arts révolutionnaires*. L'auteur est en lettres d'or : Kim Il Sung. À l'avant-dernière page, en face des sept tirets de Maman, j'écris dans ma langue des lettres : *Mama is in de socialistische hemel, Kameraad papa is naar de Parijse commune, En ik vertrek naar de hel van de Afrikaanse en Aziatische kolonies*. «Maman est au paradis socialiste, Camarade Papa à la commune de Paris. Moi je pars pour l'enfer des colonies d'Afrique et d'Asie.»

Légende du Prince et de Parisien

«*UN AUVERGNAT nommé Gonzalves veut redorer son blason en plaisant à Louis XIV. À Assinie, dite à l'époque Issiny, la capture de jeunes nègres lui inspire une idée. Aniaba est beau et vif d'esprit. Il le présente à la cour royale comme prince d'un pays africain aussi vaste, riche et raffiné que l'Égypte. Éduqué à Versailles, Aniaba reçoit la première communion des mains de l'archevêque de Paris et devient Hannibal, prince d'Issiny. "Il n'y a de différence entre vous et moi que du noir au blanc!" lui lance Louis XIV un matin de chasse à courre. On le croit prince. Le jeune homme finit par le croire. Au moment de son retour sur ses terres, il est capitaine de cavalerie dans un régiment du Hainaut. Un vaisseau de guerre et deux navires, désignés pour le reconduire en son royaume, quittent La Rochelle en grande pompe. L'armada mouille au large d'Assinie en juin, la pire saison pour défier la barre.*

Préfet apostolique de la côte de Guinée, capitaine, lieutenant de vaisseau... toute la troupe représentant le Royaume de France prend la chaloupe pour aller annoncer le retour du prince. Ils sont jetés par les fonds dès les premiers rouleaux. Reconnu par ses camarades d'âge, Aniaba devient kangah, captif de case du roi de Krinjabo. Habits, galons, médailles, chapeau, cadeaux, apparat, il est dépouillé séance tenante dans une gaie cohue. Seules ses chaussures ne trouvent pas preneur. On les jette aux crabes dans la mangrove et on lui tend un pagne pour qu'il cache ses parties honteusement épilées à la mode de Versailles. La France n'obtient qu'un banc de sable coincé entre mer et lagune. Lorsque on vient publiquement d'échapper au trépas, les habits mouillés collés sur le dos, on négocie moins fièrement. Avec le bois des deux vaisseaux, la troupe construit un fort. Le capitaine s'en va en promettant de revenir les ravitailler. On n'entend plus parler d'Aniaba.

Dans le sable, rien ne pousse. Ce sont des hommes blancs nus avec qui, quatre ans plus tard, un capitaine normand de passage entre en communication depuis son navire. Il veut ramener ses compatriotes sans tribut ni négociations. Les Assiniens, offensés, envahissent la plage, s'asseyent comme au théâtre, et attendent. La chaloupe réussit miraculeusement l'aller. De la centaine d'hommes débarqués pour accompagner Aniaba, ne restent que huit survivants. Parisien, l'un d'eux, est apprécié des autochtones et fait le choix de rester. Après quatre années d'attentes, d'espoirs, de frustrations, d'épreuves, les sept autres meurent noyés dans la barre sous le regard ahuri de l'entêté Normand.

Depuis, d'Assinie au cap des Jack-jack en passant par Grand-Bassam, quand un blanc est valeureux et curieux du pays, on l'appelle "Parisien". Quand il n'est pas fiable, on dit qu'il est "français".»

par Louis Anno
Interprète

68

Y'A BON CHAPITRE
DU CARACTÈRE COLONIAL

La traversée est un souvenir de vertiges, nausées, tortures gastriques et embarras hépatiques sous toutes les combinaisons de «et» et de «ou». Je ne quitte pas la cabine partagée avec quelques malles, une famille de rats, une tribu de cancrelats, l'odeur fétide des cales mêlée à la fumée de la cheminée. Depuis la sortie du port, mes déplacements se limitent à un va-et-vient entre ma couche et le seau hygiénique dans lequel je vomis bile et viscères. Là où le mal de mer quitte le quidam moyen après quelques heures de chahut, je continue de cracher mes entrailles après plusieurs jours. En permanence. Certains membres d'équipage ont la pitié de me prodiguer des soins, résumés à un toilettage du visage. Le seau est rarement vidé. À l'écœurante odeur ambiante, s'ajoute celle de mes propres miasmes.

Secoué par le tangage, assommé par le roulis, éviscéré par les vomissements, étourdi par les ballottements, je crois surprendre une conversation dans laquelle on s'agace que je défunte sur le navire. Mon trépas exigerait un arrêt obligatoire dans le comptoir français le plus proche. L'équipage anglais devrait y déclarer mon décès. C'est la règle. Les commandants de sa royale majesté évitent les comptoirs français, leurs tracas administratifs chronophages. Ils ont donc adopté la coutume de saler les corps des citoyens français morts sous leur pavillon. Les cadavres sont ainsi conservés jusqu'à la prochaine étape anglaise de leur feuille de route, où une simple déclaration suffit pour se débarrasser du trépassé. Je ne veux pas finir comme une morue. Je tiens bon jusqu'à entendre : « Grand-Bassam ! »

Une vingtaine de ballots à destination des maisons de commerce, le sac de jute du courrier postal, ma mallette achetée à la hâte au marché de La Pallice, deux caisses frappées des lettres MAC suivies de quatre chiffres, et moi, unique humain à l'escale, si on peut encore ainsi me désigner. Il faut me porter. Sur le pont, je crois lire du soulagement dans les attitudes de l'équipage. Me restent un zeste de dignité et un brin de force pour refuser le tonneau. En principe, on y glisse les impotents, les grands blessés et les agonisants. Je m'accroche au panier qui me descend dans la baleinière.

De Charybde à Scylla. La pirogue tangue plus vivement que le cargo. Elle me retourne les tripes qui ont survécu au bateau. Je me recroqueville, mon regard est désincarné, ma vision parcellaire. Des pieds nus, des dos noirs, une flaque dans la pirogue, une écope, des bouts de rames, l'écume des flots… Chaque balancement me convainc de mes derniers instants. Je prie. Ce sera mon ultime *Pater noster*. Comme à la messe, j'entends chanter juste après les derniers mots. Là, dans les remous de Poséidon, les tourbillons de Neptune, la bave du Puits-du-diable, des hommes chantent. Dieu comprend vraiment le latin, il a entendu ma prière. Émotion, sursaut de courage, je lève la tête. Dans la danse de la proue, s'alternent des voûtes et des lignes. Le chant s'intensifie, la terre se rapproche. Oui la terre, mère dure, mère sûre, ne bouge pas, ne tangue pas, n'essaye pas d'étriper ses enfants. Terre ! Tout chante. Je me redresse et plonge dans une de ces vagues qui fait valser mes boyaux depuis seize jours. Je ne nage pas. Des bras et des pieds, je frappe la mer, je la bats. Vengeance. Mes yeux retrouvent leurs orbites. Il y a du monde à mes côtés. Sept ou huit, je peux à nouveau compter. Les pagayeurs ont plongé aussi. Point de drame, plutôt une célébration. Une vague nous soulève, le rivage arrive à grande vitesse. Je ne suis pas mort, je ris. Fort. Mes voisins d'échouage m'entourent et rient avec moi. Fort. L'un d'eux se rapproche. D'une main, il me donne des claques dans le dos et de l'autre, il se frappe la poitrine la plus musculeuse que je n'ai jamais vue.

— Moi Wayou.

— Je suis Dabilly.

— Dabii ?

— Dabilly.

Il ameute ses camarades tout en continuant de me martyriser l'échine avec ses frappes : « Dabii ! Dabii ! » Je tombe dans les bras de chacun d'eux. Le tyran de ma peau du dos prend la pose d'un lord médiéval vainqueur d'un tournoi.

— Moi James Clarck Vandernels Fredericssen de Oliveira Wayou. Dabii, toi y a bon l'homme.

—

On embrasse le tout-Grand-Bassam d'un seul regard. L'onomastique est ironique. La plage est un banc de sable serré, battu par les vagues, parallèle à la grand-rue, simple alignement de factoreries et représentations commerciales. Dans la petite-rue, une vingtaine de mètres plus loin, des résidences couvertes de chaume. Le reste de la voirie est un enchevêtrement de pistes tracées au marteau des talons sur une végétation rabougrie. À peine plus large que la Creuse, une lagune marque la limite nord de la ville. Le point d'accostage des baleinières est désigné comme le port. La première factorerie sur la grand-rue est un ouvrage maçonné appartenant à la CFAO, Compagnie Française de l'Afrique de l'Ouest. Spécialiste en trafic de tout genre, elle vient de s'implanter. Puis il y a l'impressionnant bâtiment de fer de la West Afrikans Telegraph Company Limited. Les Anglais ont le projet pharaonique de relier tous les comptoirs de l'Ouest africain par le télégramme. Grand-Bassam en est un nœud important. Suit la factorerie Swanzy & Co, elle-même à côté des entrepôts des grands spécialistes anglais de l'étoffe, Woodin & Co. Ces quatre bâtisses, entourées d'une seule et même palissade, forment le British Coumpound. Les quelques petites enseignes marseillaises suivantes, héritière de la vieille compagnie Régis Aîné, n'affichent aucune raison commerciale. À côté d'elles, tout le monde connaît les factoreries de la SCOA, Société Commerciale de l'Ouest Africain, King & Co, et la CCCA, Compagnie Commerciale des Côtes d'Afrique. Les enseignes commerciales anglaises sont des noms propres alors que les françaises sont des acronymes. Au bout de la rue, la CFK, Compagnie Française de Kong, grande bâtisse avec deux pavillons de pierres postés comme des bastions de défense à ses côtés. L'ancien Fort Nemours, Arthur Verdier l'a racheté pour une bouchée de pain lorsque Napoléon III a rapatrié sa chair à canon pour qu'elle aille se faire occire sur les bords de la Meuse. On l'appelle désormais Fort Verdier. Je prends chambre dans une aile du pavillon nord.

Mon voisin, le nommé Bricard, fait office d'agent administratif, chef de la douane, percepteur des impôts, directeur de la poste, et bien d'autres attributs qui attendent que la France les pourvoient en fonctionnaires. « Nous devons accélérer l'occupation effective », « Nous devons faire barrage au péril anglais », « Nous devons sauver nos établissements sur la côte », « Nous devons préserver le fruit de nos efforts »... L'usage fréquent du verbe « devoir » résonne bien avec sa personnalité et l'image que l'on se fait du secrétaire personnel du Résident délégué de France. Bricard assiste le personnage le plus important de la colonie. Mais le « nous », je ne sais pas s'il désigne l'État ou seulement les Établissements Verdier. Il m'informe que je serai affecté « à un poste dans une zone boisée comprise au nord d'Assinie. » Dans ce pays inconnu, je devrai bâtir un poste et le tenir. Que je ne connaisse aucune paperasse bureaucratique, que mes notions de commerce soient sommaires, que je n'aie jamais été commis à une quelconque ambassade, que les lois de la construction me soient un total mystère, que mon savoir militaire s'arrête à la défense d'un poulailler contre les renards, aucune de mes incompétences ne fait l'objet d'inquiétude.

«Tout est à inventer, à commencer par nous-mêmes.» Quid de l'endroit exact où je vais m'établir ? «Treich est le seul à être monté si haut. Il te guidera.» Quid de la date de ma mission ? «Treich décidera. Il tient toujours à laisser un temps d'acclimatation.» Toutes les réponses passent par Treich, Résident délégué de France. Un saint. Treich sait. Treich connaît. Treich comprend. Treich peut. Treich va. On ne parle pas de lui, on l'invoque. Son nom prononcé avec un chuintement final en rajoute à la mystique du personnage : Treicccchhhh !

—

L'ancienne Issiny d'Aniaba, pseudo-prince africain, authentique prince de France, est désormais Assinie, siège de la Résidence de France, à une journée de marche à l'est de Grand-Bassam. En attendant d'y rencontrer Treich, je m'acclimate. Je prends langue avec un certain Dejean, agent Verdier à fonctions multiples, comme les autres. Il s'occupe des nouveaux, de leur instruction, du recrutement des porteurs et de la collecte du matériel nécessaire aux missions d'exploration. Dans l'entrepôt principal, je le trouve avec un homme noir, petit de taille, habillé à l'occidentale, qu'il me présente comme son interprète. Dejean l'appelle Saint-Pierre. Je suis en train de m'interroger sur la présence d'un interprète dans une conversation entre personnes parlant la même langue quand Dejean se lance dans une longue énumération, illustrée par des simagrées de Saint-Pierre. Badin, outragé, sérieux, dramatique, approbateur…, le visage de l'interprète épouse chaque humeur de Dejean.

— Costumes de toile blanche et de toile kaki : six de chaque. Costume en flanelle pour la saison fraîche : quatre. Oui monsieur, il y en a une et on peut attraper froid. Les 25° à l'ombre sont glaciaux quand on a vécu des mois à 30. D'ailleurs, le thermomètre n'est pas notre ennemi. C'est l'hygromètre qui nous en veut. L'air saturé en eau transporte les miasmes telluriques, poisons de ces lieux. Continuons…

Les plans des constructions commerciales et les factoreries sont calqués sur un standard. Au rez-de-chaussée de la bâtisse principale, magasin et bureaux. Salon, salle à manger et chambres à coucher avec balcon à l'étage. Un bâtiment annexe sert de hangar de stockage ou d'ateliers. Un carré de maisonnettes semi-dures est dédié aux boys noirs où ils entretiennent un coin basse-cour et un jardin potager. Il y a parfois des cases et des campements réservés aux manœuvres, porteurs, colporteurs de passage, piroguiers, etc. L'ensemble est enclos de rames de cocotiers tissées ou d'une palissade de bambous peinte à la chaux.

— Casque : deux. Isolation et légèreté, on n'a pas trouvé meilleur que le liège. Bien s'assurer qu'ils couvrent la nuque. Avant 6 heures du soir, ne pas sortir sans casque même si le ciel est couvert. Le soleil des tropiques est dangereux surtout quand il ne se montre pas. Continuons…

Entre les factoreries, des rues de traverse agglutinent les logis de la population noire. Les Apoloniens sont les plus nombreux. Ils sont originaires de la *Gold Coast* anglaise voisine. Bien que sculpturaux, leur nom ne vient pas du dieu grec. Une légende veut qu'un marin portugais les ait rencontrés le jour de *Santa*

Apolonia, la sainte Apolline. Toujours présents où s'installent les blancs, ils vendent leur force de travail ou exercent leur intelligence du commerce. Avant de pénétrer dans les terres, presque tous les articles que nous vendons passent par les mains apoloniennes. Leurs auxiliaires naturels sont les colporteurs mandés-dyoulas. Dans ce vocable, on met une constellation d'ethnies allant des Malinkés au cœur de la Guinée, jusqu'aux Sonynkés près du Sahara. Ballots de marchandises sur la tête, ils couvrent à pied des distances extraordinaires. Vers l'hinterland, les articles européens ; vers les côtes, les produits africains. Dans notre commerce aux Guinées, les Apoloniens sont nos mains, les Mandés-Dyoulas nos pieds.

— Chaussures de marche : deux paires. Chaussures de repos, dites aussi chaussures de ville : une paire. Sans chaussures, les chiques s'installent. Elles infectent les ongles de pieds et vous sucent le sang jusqu'à devenir grosses comme des pois. Les chaussures de marche doivent monter au minimum seize centimètres au-dessus de la cheville. Les morsures de serpents se concentrent en dessous. Continuons…

La plage est une succession d'abris pour les baleinières et leurs équipages. Chaque factorerie, chaque maison de commerce possède sa flottille. Mais les bateaux sont de plus en plus nombreux et une pirogue sur deux chavire dans la barre. Un cauchemar pour les maisons de commerce. Elles n'ont d'autres choix que de se tourner vers les équipages les plus sûrs, les plus efficaces : les Kroumens. Solides comme le roc, souples comme le roseau, ce sont les rois de la plage. Ils viennent d'une côte située entre le cap des Palmes et la rivière San Andrea, cent milles nautiques à l'ouest de Grand-Bassam. Matelots hors pair, voilà des siècles, depuis le temps des premiers navires hollandais, danois, portugais et anglais, qu'ils naviguent avec les Européens. On ne leur connaît ni la crainte ni le malaise des autres noirs devant les blancs. D'où leur réputation d'effronterie. Pour cela, les Portugais appellent leur pays *Costa do mala gens*, la côte des mal-gens. Aux Britanniques, ils doivent leur nom de tribu : *Crew men*, hommes d'équipage. Les Kroumens ont la coutume d'adopter comme prénoms les noms de tous les commandants avec lesquels ils ont travaillé. Les plus capés ont souvent des noms à rallonge empruntés à toute l'Europe de la navigation, tel l'ami James Clarck Vandernels Fredericssen de Oliveira Wayou.

La baleinière apolonienne se compose d'un barreur et de six pagayeurs, la kroumen appelle un pagayeur supplémentaire à tribord. Les Apoloniens défient la vague, ils la prennent de face. Les Kroumens se soumettent à la vague, ils la prennent de côté. La trajectoire apolonienne est droite, perpendiculaire à la plage. La trajectoire kroumen est courbe, arc bombé vers l'ouest. À l'attaque d'une vague, la baleinière apolonienne se cabre, la kroumen se cambre. Les pagayeurs apoloniens méprisent ces Kroumens apathiques. Les pagayeurs kroumen vomissent ces Apoloniens laborieux.

— Objets de toilette : gamme complète. Hygiène corporelle sans reproche. Deux tubs quotidiens, et de préférence de jour. Mon prédécesseur, Chirac, en a pris un, une nuit, sur le chemin de fourmis magnans. Ces gloutonnes peuvent en finir avec un boa géant en quelques heures, je ne dis pas un Corrézien. Continuons…

Comme pour tous les bourgs de France, un cimetière s'étend à la sortie de Grand-Bassam. Un alignement de deux rangs de cocotiers rend hommage aux trépassés. Des croix surmontent des monticules de terre rouge recouverts d'algues brunes. Gravés au couteau dans les traverses des croix, les noms sont principalement français. Une douzaine d'anglais. L'une est incrustée d'un médaillon de la Vierge noire : « Roman Wieschiewski – 1863 ». Un Polonais, peut-être. Sur toutes les tombes, ne figure que l'année du décès. 1870 et 1871 sont de grands millésimes. Années d'épidémies. La fièvre jaune. Aucun nom indigène. J'ignore où les naturels enterrent leurs morts.

— Lit de camp avec moustiquaire. Avant le nègre et les animaux, le moustique est notre pire ennemi. Des pelotons d'exécution volants. Au bout de chaque piqûre, risque de fièvre bilieuse hémoglobinurique, stade final de la cachexie palustre. Vomis, urines, fécès, tout est maté de sang. On finit squelette-sur-bottes. Péan n'y peut rien. Ce médecin des trous du cul dysentérique ne sait dire qu'une chose : quatre-quarts ! À 4 heures, un quart de quinine, tous les jours. Suis son conseil. Sans quinine, impossible de passer la barre des « deux-deux » : au-delà de deux ans, ne survivent que deux blancs sur dix. Pour les huit autres, ce bouffeur de fesses noires est passé maître dans la lecture d'oraisons funèbres. Continuons…

La mer au sud, l'embouchure du Comoé à l'est, la lagune au nord, Grand-Bassam n'offre d'issue terrestre qu'à l'ouest, vers le bourg d'Azuretti. Bricard me regarde étrangement quand je lui demande si c'est un comptoir italien. Je veux m'y rendre. Il murmure une remarque sur ma jeunesse. Azuretti sera ma première escapade d'explorateur. Il n'y a qu'une demi-heure de marche en ligne droite le long de la mer. Pourtant je pars chargé du sentiment d'avoir du Stanley sous le casque et le short. Voulant m'assurer que je suis au bon endroit à mon arrivée, j'interroge d'un «Azuretti?» quiconque s'approche vers moi, c'est-à-dire à peu près tout le village. «*Nzué Ti! Nzué Ti!*» me renvoie un autochtone avec force gestuelle. Le fantasque montre une bassine d'eau. Le nouvel explorateur n'a même pas songé se munir d'une gourde d'eau. Quel piètre Stanley! Je fais signe d'accepter, l'homme balance ses bras de désespoir. Il pointe l'eau aux cris de «Nzué», puis sa tête en hurlant «Ti», juste avant de la plonger dans le récipient. J'ai compris. L'Azuretti de nos cartes est Nzué-Ti, «tête dans l'eau». Stanley de pacotille, ne bois pas à cette bassine.

— Filtres : une demi-douzaine de cartouches. L'eau, c'est la vie. Il y a beaucoup de vies ici. Elles s'invitent dans la moindre goutte et ne demandent qu'à s'épanouir dans les intestins. Une diarrhée est une bénédiction. Sinon c'est la dysenterie, autrement dite «chier ses tripes»! Se laver systématiquement les mains avant de manger. Utiliser des couverts. Continuons…

À «Nzué-Ti», je passe la journée à faire le pantomime. L'hilarité que je déclenche à la moindre mimique me contamine moi-même. Le geste et le rire sont des expressions universelles. Le jour décline quand je prends le chemin du retour. Suspendu un moment au-dessus de l'horizon, le disque rouge du soleil plonge brusquement dans la mer. À vue d'œil, sans nuances, la nuit tombe. Littéralement. À l'entrée de Grand-Bassam, des lampes à huile s'allument dans le quartier des baraquements, le quartier noir. Salutations, hélées, invectives, invites, apostrophes, accompagnent ma traversée du faubourg. Les plus hardis me barrent la route, juste pour échanger une poignée de main. « M'sié Dabii, Chef Dabii, Patron Dabii...» Quelques jours seulement et tous me reconnaissent, même dans les ténèbres de cette nuit sans lune. Une ombre m'arrête. Pas de peine à identifier l'imposante carrure. Wayou et ses frappes amicales dans le dos. Je tousse en avance.

— Lorgnons fumés : pas besoin. Le soleil a beau baigner ce foutu pays, il n'y a que les arbres qui en profitent et toi, tu seras en dessous. Ils peuvent servir dans les savanes du Grand Nord mais avant il faut traverser cette forêt de part en part. J'en mets une paire, sait-on jamais. Continuons...

À La Rochelle, j'ai vu un homme noir. Habillé comme n'importe quel gentilhomme, je n'ai remarqué sa couleur qu'après un long moment. À Grand-Bassam, les corps noirs, à peine vêtus, s'exposent à la vue. Trapus ou élancés, épais ou fins, les anatomies sont variées, mais toutes caractérisées par des saillies de muscles, même chez certaines femmes. Mêlés à la foule fuligineuse, les hommes blancs donnent l'image de souffreteux. Dès la plage, les corps exhibés sautent aux yeux et à d'autres organes. L'Européen ressent de la gêne devant la quasi-nudité de la femme noire. La plupart ne portent qu'un pagne. Nouée au-dessus des seins, la pièce peine à couvrir le haut des jambes ; nouée aux reins, les poitrines sont en liberté. Souple et multicolore à la mode anglaise, monochrome et rigide à la façon traditionnelle, dans le pagne l'Africaine se trouve des postures que lui envieraient nos bourgeoises les plus capiteuses.

Les jouvencelles et les femmes les moins nanties ne portent pas plus qu'un simple cache-sexe. À Grand-Bassam, le summum de la coquetterie est un mouchoir à l'effigie de la reine Victoria glissé entre les jambes. Le visage de la vieille régente oscille en un endroit où la propagande anglaise n'aurait pas imaginé s'afficher. Les noires supportent sans gêne les regards masculins. Leurs attitudes innocentes peuvent suggérer aux esprits naïfs des invites sans équivoque. Je déploie des trésors d'imaginaire pour ne pas les voir. Ma grande peur est que ne se manifeste ma billebaude en public. Comment font les autres ?

— Les marches et les activités physiques trop intenses provoquent des insuffisances psychiques. Le colon ne doit pas se mettre en danger en réfléchissant trop. Les longues lectures sont déconseillées. S'il survit miraculeusement à l'hostilité extérieure, son pire ennemi est à l'intérieur de lui-même...

Saint-Pierre, bouche ouverte, lent mouvement de tête de bas en haut. Dejean, air de conspirateur, attend que son interprète parachève sa mimique conclue par un roulement des yeux et chuchote.

— Le cancrelat colonial rend original, susceptible, outrecuidant, tragique, raseur, colérique, insociable, misanthrope, canulant, palabreur, épilogueur, disserteur...

Saint-Pierre trouve une expression pour chaque qualificatif.

— Regarde Péan...

Masque d'un inquisiteur satisfait du couperet d'une sentence sans appel.

— Maintenant, va-t'en, futur fiévreux diarrhéique ! Je prépare tout. Il y a des blancs ici aujourd'hui, et grâce à moi, il y en aura toujours. Bientôt, je serai gouverneur mon brave, gouverneur.

Il se lève, tourne le dos, bras en croix, mèches blondes, cou rouge sous la nuque.

— Mes Mandés-Dyoulas, à moi !

— Mandés-Dyoulaaaaaaas, à mouaaaaaaaaaa !

Je quitte les deux hommes sans avoir tout compris de leur manège.

—

À Fort Verdier, mon voisin Bricard est tellement discret que l'on pourrait croire qu'il ne vit pas là. L'exact contraire de Dejean, qu'on entend hurler à toute heure depuis l'aile sud. Un certain Dreyfus, dont on ne sait trop s'il est scientifique ou prospecteur d'or, occupe une chambre réservée de coutume à sire Verdier en personne. Avec l'âge, le Résident de France ne descend plus sous le 43e degré de latitude Nord. À peu près la hauteur de Marseille. Plus jeune, il a vécu dix ans sur les côtes de Guinée, dont cinq consécutifs entre Grand-Bassam et Assinie. Aucun Européen n'a survécu à un si long séjour en gardant intactes ses facultés mentales. Or, Verdier est encore habile et prospère : toujours à s'occuper d'affaires africaines dans les salons et les lobbys de La Rochelle, Paris, Londres ou Amsterdam. À Grand-Bassam, il est une icône encore plus vénérée que Treich. Sa chambre est faite tous les jours. Ce serait sacrilège d'être surpris de son arrivée, même la plus impromptue. Elle n'est prêtée que sur courrier signé de sa main. Dreyfus jouit donc d'un statut exceptionnel.

Il s'est installé avec une collection de morceaux de roches, un assortiment de pots en verre, une batterie de réactifs chimiques maintenus dans des fioles, un tas d'instruments dont lui seul connaît l'usage. Je me demande par quel miracle tout ceci a passé la barre. Wayou sait ne pas chavirer les chaloupes d'importance.

En face du pavillon de Dejean, le docteur Péan occupe seul une petite maison qu'il a élevée au rang d'«hôpital», écrit en lettres bleues sur un panneau peint à la chaux. «C'est le médecin qui fait l'hôpital, pas le contraire», justifie-t-il. Son cabinet est très fréquenté, les naturels sont fascinés par la médecine du blanc. Au milieu de cas d'affections avérées, beaucoup s'inventent des indispositions pour avoir l'attention du docteur. Il faut les voir joyeux au sortir de leur visite, exhiber des taches bleues de teinture d'iode ou des bandages immaculés sur un membre. Il y a foule devant chez Péan, c'est-à-dire devant chez Dejean. Malades plus ou moins imaginaires, blessés plus ou moins graves, badauds, tous font hurler Dejean. Quand il se rend à son entrepôt ou en revient, personne ne doit l'effleurer. «Vomitooooo! Vomitooooo! Vomitoooo!» crie-t-il dans sa peur de la contagion. L'espagnol dit *vomito negro* pour la fièvre jaune. Saint-Pierre ouvre la voie à moulin de bras, répétant en écho «Vomitooooo! Vomitooooo! Vomitoooo!» Le ballet biquotidien est bien réglé. Dejean devrait aussi visiter le cabinet de Péan pour quelques consultations a minima autour de sa santé mentale. Mais ces deux hommes ne se souffrent même pas le temps des salutations.

Fourcade, le comptable, travaille et vit au rez-de-chaussée de la bâtisse principale. Il paraît qu'il partage sa chambre avec la caisse de la compagnie. Deux miliciens sont en faction devant ses bureaux. Des Sénégalais si grands qu'à leurs pieds, les Chassepot ont l'air de pistolets de duel. Fourcade reçoit les produits venus de l'hinterland. Il les échange contre les articles venus de France. Chaque transaction est un théâtre de négociation sur la valeur, mais aussi sur le mode de paiement. La poudre d'or n'a qu'une valeur sociale chez le noir et ne sort qu'en des conditions spéciales. Le cauri, un coquillage de l'océan Indien, sert parfois de monnaie, mais des paniers entiers sont nécessaires pour acquérir le plus petit miroir. Le manille des hommes de la forêt, un bracelet de bronze d'environ 150 grammes, vaut à peine vingt de nos centimes. L'utiliser pour la traite d'huile de palme ou d'ivoire est chauchemardesque. On a souvent besoin de plus de porteurs pour le manille que pour le produit. Les billons rencontrent un franc succès, mais on vient seulement de les introduire. En attendant une monnaie véritable, presque tout se négocie en caisses de gin, têtes de tabac, pièces de cotonnade, cartons d'eau de Cologne, barils de poudre, fusils... Le bon vieux troc. Fortune aux plus malins. Fourcade m'invite aux négoces. L'occasion est belle d'en apprendre sur le véritable pivot de notre présence.

— En un seul jour de marche, on rencontre plusieurs ethnies qui se comprennent entre elles autant qu'un pigeon d'église comprend un curé. J'ai besoin de Claude, Zéphirin et Ludovic, mais je suis horripilé par le sabir qu'ils parlent en guise de français. Ça va me faire du bien de vous entendre.

La colonie rend les gens exigeants.

— Leurs noms sont imprononçables et ils adorent les nôtres. Alors on ne se prive pas. Pas un jour sans qu'un porteur ne quémande un prénom. Je baptise en récompense des efforts. Ils rivalisent de zèle pour devenir Alfred, Benoît ou Prosper. La colonie rend les gens baptistes.

— On a tous deux balances : celle des achats et celle des ventes. Celle des achats allège, celle des ventes alourdit. Ils sont malins, mais ça, ils n'ont pas encore compris. À la colonie, les gens profitent.

— N'allez pas croire qu'ils sont naïfs. Ils ne ratent pas une occasion de nous gruger, ces singes-là. On ne compte plus les ballots de caoutchouc, de coton ou de graines de palme alourdis par des cailloux. La colonie rend les gens justes.

— Nous sommes tous là pour remplir la caisse et au passage nous remplir la bourse. Moi je tiens la caisse. Je ne suis pas seulement le comptable, je suis le comptoir lui-même. Personne ne compte plus que moi. Bientôt, je serai gouverneur mon brave, gouverneur…

—

Au dîner, rassemblement de tous les Verdier dans la salle à manger du bâtiment principal. Menu varié, régime saucé, invités triés sur le volet. Moutons ou chèvres en ragoût, poules à la mode Henri IV, gibiers en daube. La chasse est assurée par les tirailleurs et quelques coloniaux. La forêt entour est un vivarium. Même les tireurs les plus gauches ne peuvent en revenir bredouilles. Faisans, canards sauvages, tourterelles, biches, anti-lopes, sangliers, lièvres…, on y trouve nos gibiers en des formes et des tailles qui peuvent suggérer qu'ils ne sont pas de la même espèce. Les différences entre animaux sont à l'image de celles entre les hommes. Les canards sont chétifs mais les tourterelles ont l'air de rapaces ; les biches sont naines quand les lièvres ressemblent à des moutons ; nos sangliers sont des monstres à côté de leurs cousins aux dimensions de cochonnets… On abat aussi des créatures qu'il ne viendrait à personne de cuisiner dans un foyer de France et de Navarre : porcs-épics, hérissons, pythons, crocodiles, varans, tatous, grands fourmiliers, vipères, hippopotames, singes, pangolins, chimpanzés… Mer, lagune, fleuve, rivières pourvoient tout aussi richement en poissons. L'igname ou la banane remplace avec bonheur la pomme de terre. Parfois choux, carottes, haricots verts, radis et d'autres légumes européens agrémentent les dîners. Les boys ne sont pas que cuisiniers. Ils savent aussi faire pousser les graines qu'on leur rapporte. À Fort Verdier, chaque repas est un banquet du château Conty, les vins fins en moins.

Le chef s'appelle Eugène Cébon. La trouvaille baptismale est de Verdier en personne. Complimenté à chaque repas, «Eugène, c'est bon!» est devenu Eugène Cébon. Premier com-pagnon du Rochelais à Grand-Bassam, il est craint des autres boys. Lorsqu'il fulmine un ordre dans un français fruste, garde-à-vous de l'interpellé : «Oui sèf!» à tue-tête, exécution au pas de course. Une seule personne ne se prête pas à ce jeu martial. Yeux en amande rivés au sol, quatre tresses hirsutes sur la tête, seins à l'air, ventre scarifié d'étoiles, peau noire très foncée, la seule femme de l'équipe cuisinière garde la lente démarche qui fait ondoyer son corps de liane dans les couloirs de la concession. Eugène est toujours coiffé d'un bonnet phrygien. Il porte une marinière trop grande, est ceint d'un pagne anglais d'où s'extirpent les jambes arquées d'un vieux cavalier sans bottes, d'ailleurs sans chaussures du tout. À chaque repas, il reste planté sans ciller devant la table jusqu'à ce qu'un convive dise : « Eugène, c'est bon ! » Depuis son service avec Verdier, il ne valide que le compliment du convive le plus haut placé sur une échelle dont lui seul possède les tenants. À la fureur générale, seul Péan peut le mouvoir. Lorsque le docteur est absent, obéissance à Dejean, à la grande rancœur de Fourcade. Ainsi de suite.

Le plan de table est invariable. Bricard et Péan sur une longueur, Dejean et Fourcade en face, Dreyfus et moi à chaque bout. Fourcade m'explique que les premiers sont *négrophiles*, la pire espèce d'hommes blancs des colonies. Péan raconte que ses voisins d'en face sont *négrophobes*, la pire espèce d'hommes blancs des colonies. Les négrophobes utilisent « nègres » pour les hommes, « négresses » pour les femmes, « sauvages » pour les groupes. Ils prononcent « nègre » menton relevé, air supérieur, avec insistance sur l'accent grave qui soulève un coin de lèvre. « Négresse » siffle son « s » final en dessinant sur le visage un rictus de concupiscence. « Sauvage » arrondit les yeux et fronce le nez pour en convoquer l'image. Les négrophiles possèdent une panoplie de groupes nominaux chargés d'épithètes. « Tirailleurs sénégalais », « porteurs mandés-dyoulas », « robuste Kroumen », « jolie Apolonienne », « belle Fanti », « fine Malinké », « superbe mulâtresse », « horrible Akapless »... Ils connaissent les races et n'hésitent pas à faire des généralités. Lorsqu'on sollicite mon propos, je mélange les références. *In medio stat virtus.* Pour les négrophobes, «Le nègre est ignare, il ne comprend rien sans coup de pied au cul». «Le noir est un grand enfant, il faut l'éduquer avec la justice et la fermeté d'un père» pour les négrophiles. Les tropiques favorisent les philosophies de tranchées. La nuance n'est jamais à propos. Quand s'invite le sujet des femmes, les camps se défont, les confrontations se recomposent selon un historique de rancœurs. Entre Dejean et Péan, on frôle régulièrement le pugilat. L'ambiance ne se détend que lorsqu'arrivent les Anglais. La détestation du Britannique adoucit les mœurs.

— Ces perfides, ces voleurs, ces renégats, ces bagnards ! Quatre blocus en dix ans. Impossible d'embarquer ou de débarquer la moindre aiguille. On a perdu 1 623 444 francs !

— Vous savez ce que ces dégénérés ont voulu faire ?

— Tu vas le dire.

— Ces chiens de reine voulaient nous échanger Grand-Bassam, Assinie, Lahou et toute notre belle côte de l'ivoire contre la Gambie. On aurait eu le Sénégal en un bloc et eux, tout le golfe de Guinée.

— Il y a de l'or en Gambie ?

— Tu vois les Anglais échanger une mine d'or ? C'est une terre stérile comme le roc et remplie d'affreux nègres mahométans polygames. Maintenir la colonie leur coûtait presque deux millions par an. Un gouffre ! Ils voulaient s'en débarrasser. On ne trompe pas un Fourcade avec des chiffres falsifiés.

— Heureusement qu'il a tenu bon le père Verdier. Dix ans à feinter de l'Anglais, il faut le faire.

— Et ce cher Amédée Brétignière ? Il paraît qu'en moins de six mois, il a pondu sur nos démêlés autour de la frontière avec la Gold Coast un rapport d'une telle qualité que même Sa Grâcieuse Majesté en a eu quelques orifices débouchés.

— Il fallait voir la tête dépitée des commissaires anglais. Le document d'Amédée était précis au bananier près.

— Et dire que ces Anglais sont encore à nous narguer ici. Franchement, vendre ces horribles tissus à nos noirs.

— Je ne comprends pas ce que nos nègres trouvent à leurs étoffes multicolores. Maintenant, ils leur vendent aussi de l'eau de Cologne. Cologne… sacré nom d'une Apolonienne en chaleur ! Après tout ce que ces barbares de Prussiens nous ont fait. C'est ce que j'appelle narguer.

— Le véritable péril anglais est dans les caisses d'alcool. Il faut être nègre pour préférer le gin au vin. Ils vont nous les rendre tous alcooliques.

— Ils ont infiltré des espions apoloniens qui sèment la zizanie dans les cours royales.

— Ce vieux pervers de Johnson, le bouffi de Woodin & Co, a osé me dire qu'en cas de rébellion contre notre autorité, ils ne se contenteront pas de vendre de la poudre aux nègres. Ils livreront gratuitement des fusils pour se venger de ce que nous avons fait avec les Ashantys. Quel culot ! Si nous avions une administration, je le ferais expulser manu militari.

— L'administration revient, les amis. À Dakar, j'ai vu passer de la correspondance. Un grand explorateur nous arrive par le Nord. Un militaire, aide de camp du maréchal Faidherbe en personne. Il s'appelle Binger.

— On le sait tous. Mais ça fait un an qu'on n'a pas de nouvelles de celui-là. Si les nègres ne l'ont pas mangé, il doit être mort comme on meurt par ici. D'ailleurs, il paraît qu'on l'a décoré à titre posthume. Les Anglais ont de beaux jours devant eux si on ne fait rien.

Il n'y a qu'en temps de crise ou en temps de guerre que l'on peut trouver une telle acuité de l'expression nationaliste en métropole. Du patriotisme exacerbé comme premier caractère colonial. Au cri de « Dieu sauve la reine des champignons ! », négrophobes et négrophiles se gaussent de la mode Victoria glissée entre les cuisses des Bassamoises.

—

Taillé dans un bois massif, chaux vive sur les quatre pieds pour décourager les rampants, moustiquaire accrochée en quatre points de la charpente, mon lit est une forteresse. J'entends dans l'immaculé des draps le vrombissement des essaims de moustiques à l'assaut du voile. Un sifflement rappelle que certains de temps en temps échappent au dispositif de défense. Ces chanceux se gaveront, mais ils n'en profiteront pas. L'abdomen enflé de leur forfait, ils finiront en taches rouges dans les draps, écrasés par l'agitation du sommeil dans la lourdeur ambiante.

Le fracas des vagues ne berce pas toujours. Parfois, la barre tonne de grands coups qui font penser à la Manu. La mer est à Grand-Bassam ce que le marteau-pilon est à Châtellerault. Tout Grand-Bassam tremble lorsque s'abat la vague-mère. Mais, plusieurs nuits de suite, s'ajoute aux sonorités habituelles un vacarme plus domestique qu'industrieux. La première fois, cela vient de chez Bricard. Bruits de lutte, cris de femme, bordée d'injures, course précipitée.

— Sale garce, elle m'a mordu !

Une autre nuit, en dessous, dans la chambre forte de Fourcade.

— Nom de Dieu, la sale garce !

Quelques nuits plus tard, la voix de Dejean, facile à reconnaître.

— Sale garce ! Je vais la tuer !

Un coup de fusil me fait sursauter. Mais des éclats de rire en provenance du carré des boys montrent que la scène penche plus vers le burlesque que le drame. Le lendemain, après le déjeuner, déterminé à satisfaire ma curiosité, je m'aventure dans le territoire d'Eugène Cébon. Mon irruption étonne autant mes hôtes que moi-même. Trois pas hors de ma chambre à coucher, un monde que jamais homme blanc n'a foulé. Lorsque nous avons besoin de quelque chose, il suffit de crier, principal mode d'expression du colonial. L'ordre se répercute en cascade hiérarchique jusqu'à l'intéressé et notre désir, même le plus futile, est assouvi. Il y a foule à mon arrivée dans la courée. Chacun suspend un élan, interrompt un geste, bloque un mouvement. Eugène est le moins surpris. Il propose un siège. Je refuse en remerciant.

— Pas merci. T'assois !

Ton ferme, mais bienveillant. Je m'assois sur le tabouret qu'il me montre du doigt. Dès que je commence à exposer le but de ma visite, il m'interrompt du même doigt posé sur ses lèvres.

— Chut!

Ton ferme, mais bienveillant. Il me tend une demi-courge évidée et séchée. À l'intérieur, un liquide trouble m'a l'air d'être de l'eau. Usage d'ustensiles européens, prohibition des eaux non filtrées, le prêche de Dejean guide mon second refus.

— Non merci.

— Pas merci. Bois!

Ton ferme, mais bienveillant. Je porte la courge-gobelet aux lèvres. Boisson fraîche, arrière-goût citronné, effet désaltérant immédiat en cette heure chaude. Je vide le récipient.

— Encore.

Quelques rires détendent les visages. Eugène me sert à nouveau. À la fin de ma goulée, comme j'ai vu faire les Kroumens sur la plage, je renverse le fond et retourne le récipient en le posant. Selon Wayou-des-claques-dans-le-dos, c'est la façon la plus polie de dire que l'on a bu à satiété. Par distraction naturelle, je regarde le liquide se faire siphonner par la terre sablonneuse, tout en marmonnant une succession d'expressions latines. Les rires s'estompent. Le cercle autour de moi se resserre, on se rapproche. Il est possible à Eugène d'avoir un regard encore plus sévère. Je m'effraye d'avoir inconsciemment violé un quelconque interdit. Je suis prêt à m'excuser. La contrition, je connais. Il saute sur la main que je tends, la serre violemment.

— Kroumen Wayou l'a dit moi.

Main broyée. Longues secondes suspendues comme une menace sur ma vie.

— Toi ya bon l'homme. Kroumen Wayou l'a raison. Toi venir nous voir ici, donner l'eau les esprits, parler les esprits. Ya bon bénédictions les esprits, ya bon bénédictions les hommes, ya bon beaucoup. Moi Kouamé Kpli de Krinjabo. Roi Amon-Ndoufou, mon oncle. Lui donner moi à Nanan Nvèrdjé cadeau. Nanan Nvèrdjé m'épèler Euzène.

Eugène n'est pas Cébon, mais Kouamé Kpli, prince de Krinjabo, cadeau personnel du roi à Arthur Verdier. À la bassamoise, Verdier se prononce N'vèrdjé. Il me lâche la main, aussitôt reprise par un autre. Tour à tour, les présents m'écrasent les doigts en guise de salut. Les Mandés-Dyoulas des baraquements approchent, l'amputation guette. Je suis le centre du carré. Je passe de curieux à curiosité. Le prince interrompt la procession de salutations : ma main est sauvée.

— Nouvelles ?

Je suis convié à exposer ce qui m'envoie. Je raconte l'agitation de la nuit, les éclats de voix, le coup de feu. Eugène m'écoute avec la concentration d'un général devant un rapport d'estafette. J'ai à peine fini qu'il lance une phrase à l'assemblée. Rire général, geste de prince, silence.

— Adjo Blé, nièce de moi. Adjo Blé princesse Krinjabo. Blancs contents beaucoup Adjo Blé. Tous vouloir Adjo Blé. Mais Adjo Blé pas vouloir blanc du tout du tout. Blanc gagner toujours problème avec Adjo Blé. Toujours crier « Salgass ! Salgass ! » Adjo Blé gagner nouveau nom. Tout le monde l'épèler Adjo Salgass.

Rire général, geste de prince, silence.

— Dejean tirer fusil sur Adjo. Dejean mauvais l'homme, pas dangereux l'homme. Dejean moyen louper hippopotame-femme enceinte garde-à-vous devant son narine. Dejean très

très fort dans maladroit. Adjo Salgass partir dormir docteur Péan maison. Plus déranger ici. Déranger docteur seulement.

Rire général, geste de prince, silence interrompu par l'arrivée de la triplette Claude-Zéphirin-Ludovic.

— Missié Dabii ! Missié Dabii ! Missié Dabii !

— Pas rester ici ! Pas rester ici ! Pas rester ici !

— Patron Froucade épéler vous ! Patron Froucade épéler vous ! Patron Froucade épéler vous !

Dans l'ordre, Claude, Zéphirin, Ludovic… à moins que je ne me trompe de sens. Je les renvoie à Fourcade. Toute l'après-midi, je la passe dans ce qui, vu de la salle à manger, est une basse-cour, mais du rez-de-jardin, une cour princière. Ce soir-là, le dîner est l'occasion d'un bouleversement. Lorsque Péan lance le compliment habituel, Eugène ne bouge pas. Un ange passe. Dejean sourit et prend le relais. Eugène ne bouge toujours pas.

— Merci pour le repas, Eugène. C'est vraiment très bon !

Je murmure la phrase sans lever la tête de mon assiette. Eugène part, Péan avale de travers, Dejean s'étouffe, Fourcade laisse tomber sa fourchette.

—

Mon temps à Grand-Bassam s'achève avec un courrier d'Assinie. Treich est prêt pour sa deuxième exploration des terres Nord. Objectif : le Bondoukou et le pays de Kong. Le docteur Péan s'inquiète de l'état de santé de Treich. Il veut le consulter. Nous ferons chemin ensemble. Dejean et ses porteurs mandés-dyoulas, Dreyfus et son barnum, nous ont précédés il y a quelques heures.

Mes derniers jours à Grand-Bassam, je les passe dans la cour d'Eugène Kouamé Kpli. Il m'entretient d'histoires dont je ne sais si elles relèvent du conte ou du récit. Verdier porte le titre de *Nanan*, réservé aux hommes et femmes de haut rang. Bien qu'ils aient à peu près le même âge, il parle de lui comme d'un père. Je l'amuse à jongler avec les rudiments d'agny qu'il m'apprend. Je suis époustouflé des progrès qu'il accomplit avec les quelques mots et structures grammaticales de français que je lui enseigne. Le jour du départ, il exige un cadeau de moi. Je n'ai qu'une petite caisse de têtes de feuilles de tabac à lui donner. Au moment de mon départ de La Pallice, Amédée m'en a fait cadeau, en même temps qu'il me confiait une boîte pour ses amis d'Assinie. Eugène disparaît dans sa chambre ranger la caisse, et ressort avec plus qu'un merci : un sourire.

— Voilà cadeau une pour toi, Dabilly.

Il me tend deux mains vides, se saisit des miennes. Je crains la constriction.

— Mettre bien cadeau le dans caboche la ! Partout où tu gagnes Agny, toi jamais parler jour le, quand ya soleil le. Toi attendre nuit la pour parler. Quand toi rencontrer roi le, jamais regarder dans yeux les. Regarder dans yeux femme la à côté roi le. Quand demander toi nouvelles les, lever drapeau. Caboche ?

Le prince desserre son étau. Il a la délicatesse de me sauver des autres mains d'au revoir. Je pars en regrettant ne pas lui avoir bien fait comprendre qu'en français, l'article se place avant le nom.

« ZIBIYI *était l'homme le plus beau de la création. Il savait courir, sauter, nager, danser, chanter, sculpter, pêcher, bêcher, travailler comme personne. Devant l'admiration dont il était l'objet, il devint vaniteux et insolent. Il se mit à séduire toutes les femmes, sans exception. Parti à la plage avec Ziké, la jeune et belle femme du vieux Gougnon, sorcier du village, Zibiyi plongea à la mer pour épater la jouvencelle. Une formule magique et voilà le prétentieux condamné à batifoler dans les flots. Il ne retrouva jamais le chemin de la plage. Depuis, ses descendants viennent près des côtes montrer à la belle Ziké comment ils nagent.*

C'est en observant les dauphins, les fils de Zibiyi, que nous les Kroumens avons appris à maîtriser la barre. En pirogue, on ne défie pas une vague. On la trompe. Elle court toujours vers le couchant. Alors à l'aller, on met quatre personnes à droite. Elle n'en voit que trois du côté d'où elle vient et se dit qu'il n'y a que six rameurs. Au retour, le pagayeur masqué change de côté pour ne pas que la vague découvre la supercherie. Elle pêche par orgueil et croit facilement l'emporter. Elle pousse mollement pendant que nous ramons à maximum de puissance. C'est le moment des bras qui chantent, forts, rythmés et parfaitement synchronisés. La pirogue finit par monter sur le dos de la "mère". Aucune autre vague ne peut se mettre sur le chemin de la "mère". On se laisse glisser comme les dauphins, les fils de Zibiyi. L'embarcation n'appartient plus qu'au barreur. Il peut la déposer où il veut. »

par James Clarck Vandernels Fredericssen de Oliveira Wayou
Maître barreur
Grand-Bassam

CHAPITRE À TRESSES HIRSUTES
ADJO SALGASS

De Grand-Bassam, plein est, longeant la mer : Assinie. « Soleil, aucun abri, cuisson garantie. On fera la route de nuit ». Péan tient le langage efficace du vieux colonial. Sur le chemin, ni les vagues ni lui ne se taisent. Accrochée au ventre des nuages, la lune en croissant est couchée sur le dos dans un hamac d'étoiles. Indolence, même dans les cieux. Sous les reflets de l'astre, l'océan est un bac d'argent en fusion.

— Il n'y a plus de France ici depuis qu'on s'est tamponné les Allemands. Après la capitulation, j'étais à Iges, le camp de la misère. Je sortais de l'école de médecine. Rien de ce que j'y ai appris ne m'a servi. Cautériser, amputer, cautériser, amputer, en attendant les décès. Docteur là-bas, c'était aussi utile que chausseur dans un pays de cul-de-jatte. Tous ces gisants, ces affamés piégés dans cette boucle de la Meuse, humiliés par la soldatesque teutonne. Civilisé ailleurs, barbare chez nous. Ces milliers de vies sacrifiées, cette souffrance au nom de la vanité de Napoléon-trois-doigts-de-pieds et de sa camarilla ! Abandonner à des aventuriers nos possessions africaines pour ça, quel gâchis !

Je marche prudemment du côté de la terre ferme. Sans crier, Péan parle au-dessus du fracas des vagues. Le vent sud venant de la mer porte ses propos. Dans la brise, l'écharpe blanche autour de son cou se libère et s'agite en direction du nord comme une aiguille de boussole. Sec, le sable rend la marche pénible. Durci par l'eau, il offre de meilleurs appuis. Dès qu'une vague se retire, on descend sur ses traces. Dès qu'une autre s'approche, on remonte au sec. Avec une telle trajectoire, qui suivrait nos empreintes pourrait nous imaginer ronds.

— Économie de traite, politique de traités. Le modèle est primitif, mais efficace pour le moment. Pour la traite, il y a les Fourcade. « Un bon article de traite, c'est un article très bon marché, de mauvais goût, avec un contenant tape-à-l'œil, voire bizarre. Aux nègres, il faut des tons crus, du clinquant, des étiquettes avec dessins. Les Anglais ont compris ! »

Son usage du mot « nègre » est plus fréquent que de coutume. Il n'est peut-être pas du bord de la table que j'imagine. Son imitation de Fourcade est trop bien réussie.

— Pour les traités, il y a Treich. Toujours flanqué de son « cheeeer Anno », il a le don de capter la sympathie des chefs locaux on ne sait trop comment. L'année dernière, ils ont ramené une dizaine de traités avec une poignée de tirailleurs qui n'auraient même pas pu repousser la charge d'un éléphant solitaire.

Cette histoire de charge d'éléphant ne me rassure pas. Après tout, on est à la Côte d'Ivoire. Eugène raconte que régulièrement, les pachydermes viennent à la plage s'égayer dans des bains de mer. Passée l'heure de marche, je me dis que je suis plus loin que mon exploration solitaire de « la tête dans l'eau ». L'atmosphère est saturée en sel. Cela donne soif. Cette fois, j'ai une gourde.

— Aucune barrière naturelle ne nous sépare de la Gold Coast. C'est le même pays. Il y a de l'or là-bas ? Il y en a ici. Dreyfus est convaincu que nous possédons un nouveau Transvaal. Surtout depuis qu'il a entendu parler de l'Assikasso, le « pays de l'or » en agny. Il jure qu'il y aura une ruée, comme au Klondike ou en Afrique du Sud. Officiellement, Verdier le vieux grigou minimise la présence de l'or. Officieusement, il envoie Dreyfus prospecter. Il intrigue pour tout avoir à lui seul. Il veut gérer la Côte comme une concession pendant quatre-vingt-dix-neuf ans, comme siiiiir George Goldie et sa Royal Nigeeeer Company. On n'est pas des Anglishes, cordieu ! C'est la France ici. L'ennemi n'est pas le nègre mais l'Anglais.

La lune est passée dans notre dos. Devant nous sur la plage, une tache en mouvement émet des cliquetis. Des crabes ! Des crabes par millions entrechoquent leurs cuticules dans une danse insensée. Le jour, ils sont planqués dans des trous. La nuit, ils sont maîtres du banc de sable. Sous nos pas, ce tapis de crabes s'ouvre sans qu'un pied n'en écrase un seul. Un mouvement dans la jungle. J'en suis sûr, ce sont des éléphants. J'en oublie les crustacés. Je suis prêt à courir vers la mer. Péan n'a cure de mon état d'alerte. Il continue son soliloque exalté.

— Verdier est resté longtemps seul ici. Pas de contrôles, pas de douanes, pas de concurrence. En plus, il s'est fait rembourser par Paris chaque investissement qu'il a fait au nom de sa Compagnie. Son Brétignière savait s'y prendre avec l'administration. Ça sert plus d'être docteur en droit que docteur en médecine par ici. Il a réussi à obtenir réparation pour le blocus britannique sur Assinie pendant que le vieux grigou commerçait avec les Ashantys en guerre contre la Couronne. Faire rembourser aux Angliches la poudre qui a servi à leur tirer dessus... Ah, ce Brétignière, un brave garçon malgré tout. Une santé fragile avec ça. On a failli le perdre plusieurs fois. Il n'avait pas fière allure quand il est rentré. Paris va reprendre la main. Il y aura un gouverneur, des administrateurs, des commis partout. La France revient et elle va me trouver là. Je suis le plus gradé de tous. Bientôt, je serai gouverneur mon brave, gouverneur !

La sensation d'être épié par mille yeux ne me quitte pas. Je m'en accommode avec l'avancée de notre marche-conférence coloniale. Péan parle comme un homme frustré, usé par une fonction qui ne le satisfait pas. Dans la mystique du clair de lune le long d'une plage du golfe de Guinée, je lui trouve des excuses, jusqu'à ce qu'il en vienne aux Dejean. Les Dejean, il en parle comme les Conty parlent des Abilliois, les Parisiens des Auvergnats, des Poitevins, des Corses ou des Bretons : « Des paysans, des simples, des pouilleux, des hobereaux, de la pedzouille, des ploucs, des maroufles, des croquants, une race inférieure ! » D'essence rustique, donc de constitution solide, les Dejean supporteraient mieux les miasmes délétères des tropiques. Les âmes nobles, les hautes extractions sont délicates, obligées à de fréquents retours dans le sain climat métropolitain pour se requinquer. Dejean, quatre ans de présence, pas le moindre embarras gastrique, pas la moindre fièvre, même pas le début d'une simple mine bilieuse. Chaque jour il hurle, insulte, maudit, jure, parjure, récrimine, incrimine, accuse, récuse, frappe, plaint et se plaint. On ne voit que lui, on n'entend que lui. Loin de ses terres, la race doit être représentée par ses branches les plus nobles, non par ses rejets. Pour Péan, un Dejean n'est pas un vrai blanc. C'est une erreur historique de laisser les nègres penser que les blancs sont d'abord des Dejean. Les astres dédiés à la terre opèrent dans la voûte céleste un mouvement de balancier parfaitement synchronisé. Devant, le soleil bande son arc sur l'horizon. Derrière, la lune trempe son croissant dans le salé de l'écume. Le jour se lève, la nuit s'achève. Je remarque seulement maintenant que nous sommes suivis. Non, pas les éléphants. Les milliers d'yeux imaginés dans le noir ne sont que deux. Une femme, peau noire très foncée, quatre tresses hirsutes sur la tête, seins pointus, scarifications d'étoiles autour du nombril. Elle marche dans nos pas. Avec le jour, Péan se tait. Il redevient docteur. Il sait depuis le départ que Adjo Salgass nous suit.

—

Deux jours plus tôt, Dejean, Dreyfus et Bricard ont pris une trajectoire nord parallèle à la nôtre. À notre arrivée à Assinie, leur cohorte est installée devant Fort Joinville, bastion de défense construit à l'emplacement du fort de l'équipée d'Aniaba, vrai prince de France faux prince d'Issiny. Dejean aboie déjà des ordres à une paire de porteurs tout en inondant d'injures des tirailleurs et en vérifiant le contenu des ballots avec la délicatesse d'un pillard viking. À un jet myasthénique de pierre, la maison du Résident de France. Montée sur pilotis, véranda en ceinture autour d'un étage peint en blanc de chaux sous un toit de chaume. Comme toutes les bâtisses françaises, elle est incongrue dans ce décor. Accueil enthousiaste. Nous sommes cinq sur la véranda, la moitié de la population française sur une terre qui part d'Assinie jusqu'au 7e degré de latitude Nord. Treich aux explications, Dejean à la complainte, Dreyfus aux questions, Péan sur ses gardes, Bricard aux notes. Le Résident de France est d'une taille au-dessus de la moyenne. Il a le cheveux court, le regard châtain clair, les traits agréables. Sa beauté quasi féminine est renforcée par l'absence de barbe, même s'il arbore une moustache à la mode rive droite Châtellerault. Debout au milieu du cercle que nous formons, les mains dans la poche de sa vareuse, il parle lentement, en fixant chacun d'entre nous tour à tour. Moi, je regarde la plage. En début d'après-midi, l'ombre est une denrée de choix. Tout vivant est debout, assis ou allongé derrière ce qui peut arrêter le soleil. Sauf elle. Elle est face à la barre. Je vois son dos.

— Il faut oublier le modèle portugais. Le commerce flottant, pénétrer essentiellement par les rivières, ça a marché aux Amériques, mais ici, c'est impossible. Peu de tirant d'eau, trop de rapides, trop d'obstacles naturels, les fleuves ne sont pas navigables longtemps. Le Comoé seul l'est jusqu'au village de Bettié. Le chef Bénié Kwamin sait l'importance de sa position sur les chemins du Nord. En rançonnant les caravanes, il envoie un message. J'ai négocié avec tous les chefs sauf lui. Il monte les enchères.

Voix fluette, visage émacié, mine bilieuse, souffle haletant, Treich fait penser à Amédée Brétignière. Pendant qu'il expose ses vues, mes yeux courent la plage. Le dos a trouvé l'ombre d'une pirogue. Son bassin s'évase dans le sable.

— Les chefs noirs ne sont pas un problème. Ils croient que nous sommes là pour le commerce avant tout et ils veulent en profiter. Ils n'ont pas encore conscience que nous allons occuper le pays. Pour le moment, c'est plus facile de s'entendre avec eux qu'avec les Anglais. Si ceux-là prennent au nord le Bondoukou et le Kong, toutes les caravanes vont descendre par la Gold Coast et il en sera fini d'Assinie et Grand-Bassam. Pas seulement en tant que comptoir français, en tant que comptoir tout court.

Treich en impose d'intelligence et de caractère. Son discours, dans la forme comme dans le fond, est différent de tout ce que j'ai entendu. On ne saurait de quel côté de la table le placer aux repas d'Eugène. Les autres l'écoutent avec plus d'attention que moi. Sur la plage, l'ombre de la pirogue raccourcit. Le dos se lève. Une couche de sable accroché à son pagne bleu indigo lui dessine une pomme sur les fesses. Le dos se les tapote d'une main, la pomme disparaît en pluie de silice. Tronc en balancier pour assurer ses appuis dans le sable, le dos marche jusqu'à un cocotier, s'y adosse quelque temps avant de s'asseoir à nouveau, la tête sur les genoux. Les quatre tresses hirsutes bougent, solidaires de la direction de son regard. Un coup à gauche, un coup à droite, jamais vers la véranda.

— Le nouveau roi de Krinjabo m'a fait dire qu'il va donner toutes les commodités pour aller jusque dans le Kong si je le désirais.

— Akassimadou est un vieux menteur. Il ne lorgne que les cadeaux dont tu le couvres et veut augmenter la rente annuelle qu'on lui verse. Cet impotent n'est même pas capable d'aller se soulager dans les fourrés sans l'aide d'un bataillon de sorciers.

— Je suis d'accord avec le voleur de négresses pour une fois.

Akassimadou est chafouin. Sa cour est truffée d'espions anglais. Dejean et Péan du même avis. Configuration rare, mais ces deux-là ont des intérêts convergents. Pour prendre la tête de la colonie, il leur faut d'abord évincer la bande Verdier. Sur la plage, elle s'est levée. Brièvement de face, seins piriformes, étoiles sur le ventre. Et ce pagne… Quelques pas vers le haut d'une dune, elle l'enlève tout en s'accroupissant, s'en recouvre de la tête aux pieds. Le pagne devient tente. L'étrange posture. Elle se relève, l'étoffe glisse le long du dos, achève sa course à la naissance de la cambrure. Ajustement par un rapide mouvement des bras et revoilà le pagne assujetti à sa croupe. J'ai à peine le temps d'apercevoir la bande rouge d'un cache-sexe et le rebondi noir d'une fesse. Dans le sable entre ses jambes, une tâche humide. Elle vient de s'improviser un vestiaire, là, sur la plage grouillant de pêcheurs, pagayeurs, tirailleurs… La voix de Treich me sort de ma stupeur.

— Vous me semblez fort bien connaître Krinjabo, chers amis. Mais j'ai plus confiance dans les mensonges d'Akassimadou que dans vos démêlés avec les belles de sa cour. Je tiendrai la promesse de Verdier. J'irai à Bondoukou, puis à Kong à la rencontre du fameux LG. S'il est encore vivant comme je le crois, c'est là-bas que je saurai le retrouver.

— Dans ton état, est-ce bien nécessaire de faire un si périlleux voyage à la recherche d'un homme déjà gradé et décoré à titre posthume ?

— Si je disparais un an et que des rumeurs me disent mort, je serai heureux que l'un d'entre vous remue ciel et terre pour en donner la preuve formelle à ma mère et à ma sœur. Pas vous? Pour la première fois depuis le début de ce conseil, le silence s'invite à la véranda. Sur la plage, un homme accoste les quatre tresses. Au lieu de la tancer pour impudeur comme je m'y attends, il lui fait la révérence. Pendant que je m'interroge, deux autres hommes accourent s'aplatir à ses pieds. Sous un ciel nuageux perforé d'un soleil de plomb, une plage figée par la chaleur, jonchée de pirogues, hérissée de cocotiers, surmontée d'une dune au sommet de laquelle une femme presque nue comme un ange, quatre tresses hirsutes sur la tête et une demi-douzaine d'hommes à ses pieds... Une scène banale devient tableau baroque sous influence tropicale. Des bribes de voix parviennent à la véranda. Je tends l'oreille. Treich s'y introduit à nouveau.

— Nous laisserons Dreyfus avec les orpailleurs du pays akyé. Dabilly montera le poste de l'Assikasso. Je continuerai jusque dans le Bondoukou et si tout se passe bien, je monterai jusqu'à Kong. Pour redescendre, il suffira de longer le Comoé.

— Ce n'est pas gagné si tu pars dans cet état. Tu as frôlé la mort la dernière fois. Le médecin en moi exige que tu te reposes quelque temps. Mais l'ami sait que tu ne l'écouteras pas. Pourtant, il y a les hommes pour assurer valablement ton intérim. Les noirs ont attendu des millénaires la civilisation. Ils tiendront encore quelques mois.

— Nous n'avons pas des mois. Peut-être même pas une semaine. L'avenir de ces côtes en tant que territoires français se joue dans un mouchoir de poche. Avec leur victoire militaire contre les Ashantys et le sac de Koomassee, les Anglais ont l'avantage de la terreur.

— C'est bien ce que je disais. Il faut envoyer nos Sénégalais les plus retors. Les Anglais, eux, ne jouent pas avec les roitelets nègres, ils les dressent.

— Non, Dejean. Les Anglais sont embringués dans une logique qui va les perdre. Devant leur brutalité, il nous sera facile de nous présenter en protecteurs. Les Africains ignorent que nous n'en viendrons jamais aux armes contre les Britanniques. Il nous suffit d'arriver les premiers et de signer les traités. Les conventions de Berlin et le fairplay anglais feront le reste. Je partirai au plus tôt.

— Qui assurera l'intérim ?

Dejean pose la question. Péan aurait pu la poser. Sur la dune, les hommes au pied des quatre tresses hirsutes se dispersent.

— Bidaud, bien sûr ! Chapper le secondera. Avec toutes les factoreries qu'ils nous implantent, ils connaissent bien les autochtones. J'ai écrit une lettre en ce sens au lieutenant-gouverneur à Dakar. L'ami Péan, je compte sur toi pour l'expédier par le prochain cargo français. Il ne faut surtout pas la télégraphier. Les Anglais tiennent les lignes. N'éventons pas nos intentions. Fais prévenir Bidaud qu'il vienne s'installer ici. Il est à Alépé.

La déception de Dejean doit être tempérée, Péan non plus n'est pas promu. Et vice versa. À juger de sa prétention, le médecin est le plus humilié. Bidaud et Chapper sont des Verdier, des piliers de la CFK. Comme le mirage de Péan, le tableau sur la plage s'est effacé. Elle est de nouveau seule, au pied du cocotier, regard rivé sur les vagues. À part quelques Mandés-Dyoulas venus de terres où les flots les plus tumultueux ont l'agitation d'une baignoire, je n'ai jamais vu personne admirer la mer juste pour la beauté du spectacle. Avec le déclin du soleil, son ombre et celle du cocotier s'étirent. Les deux spectres rivalisent d'élégance. Elle se déplace, l'arbre est figé. Honneur à l'image animée que je poursuis du regard.

Le conseil de la véranda s'achève en *Apéritif de France*, la nouvelle mode coloniale, une boisson alcoolisée amère censée contenir de la quinine. Dejean et Péan sont les premiers à prendre congé de la Résidence de France. La déception, sûrement. Dreyfus, un tantinet grisé, exhibe des roches aurifères ramenées du Klondike. Il les compare à des cailloux venus des pays agny et akyé. Un trop complexe exposé est censé nous faire comprendre la troublante similarité de couches géologiques séparées de plusieurs milliers de kilomètres. Son érudition est épuisante. Heureusement, les moustiques précipitent son départ vers la maison où il a pris ses quartiers. Bricard s'efface sans crier gare. Ne reste que moi.

Chapeau de marin à pompon, pipe à la bouche, chemise à carreaux, pagne à la ceinture, chaussures de marche, un noir à l'allure de laird écossais fait son apparition. Il est d'une beauté androgyne déroutante sur une si forte charpente osseuse et musculaire. Le trouble s'accentue à l'écoute de son imposante voix, porteuse d'une langue châtiée, sans accent.

— Ces messieurs voudront-ils encore un petit apéritif?

Il boit dans un verre imaginaire en exagérant la mine renfrognée du buveur face à l'amertume du breuvage. Treich me présente Louis Anno, interprète. Leurs salutations sont chaleureuses. Ils se parlent comme si j'étais absent. Ils n'ont pas tort. La plage est éclairée des râles rouges du soleil mourant. Je la cherche du regard et ne la vois plus. Nulle part. Adjo Salgass a disparu.

—

La nuit est jeune. On allume un bûcher au pied de la véranda, mesure éclairante et anti-moustiques. À La Rochelle, en plus d'une boîte en carton, Amédée m'a confié un message oral. Il a insisté pour que je ne le délivre qu'en présence de Treich et d'Anno. Ils sont assis en face de moi. « *Ndè-ndé ndè-ndé sou ba !* » Ma première phrase agny, je l'ai apprise dans le bureau d'Amédée Brétignière. Je l'ai répétée des dizaines de fois. Même pendant mes nausées sur le *America*. La délivrance de mon message divise. Treich s'assombrit, l'androgyne m'entretient.

— Kouamé Kpli raconte que tu es le blanc qui apprend le plus vite l'agny qu'il ait jamais rencontré.

— Eugène est un professeur indulgent. Comment avez-vous su ?

— Ici, tout ce qui compte se sait vite. Ne l'oublie jamais. Donner le gîte et le couvert à n'importe quel étranger de passage n'est pas une simple tradition d'hospitalité. Lui demander en retour les nouvelles d'où il vient n'est pas qu'un protocole de bienséance. L'hospitalité est un service de renseignements. Maintenant, dis-nous ce que signifie le message de Brétignière ?

— *Ndè-ndé* veut dire «vite», *ndè-ndé ndè-ndé* probablement «très vite». *Ba* signifie «viens». L'ensemble donne «quelqu'un ou quelque chose arrive très vite».

— C'est bien, mais on n'est pas plus avancés. Il faut interpréter, pas traduire.

— Comme Saint-Pierre.

Nous éclatons de rire. L'enjouement réveille l'image de Adjo. Pourquoi nous a-t-elle suivis? Pour qui nous a-t-elle suivis? Je l'imagine à Fort Joinville en compagnie d'un Péan qui l'ignore, d'un Bricard qui la poursuit ou d'un Dejean qui la menace. Je l'ai si peu vue, si peu connue, et cette envie de la protéger, moi si désarmé. Plongée dans le noir, la plage ne laisse voir que le ruban blanc de l'écume des vagues. Dissoudre mes visions d'Adjo Salgass dans l'intelligente compagnie de ces deux hommes qui ont la complicité d'amants. Ils me sortent de la bichromie obligatoire, de la binarité systémique de ces cieux. Noir-blanc, France-Angleterre, État-Compagnie, rien de tout cela sur cette véranda. Deux complices reçoivent un hôte. Juste. Anno parle. Pour la première fois de la journée, une conversation a toute mon attention.

— Aussi étonnant que cela puisse paraître, Saint-Pierre est un excellent interprète. Sans ouvrir la bouche, il peut se faire comprendre dans n'importe quelle brousse de ce pays. Les mots sont singuliers, les attitudes universelles. Ce qu'il faut interpréter dans cette phrase, c'est ce qu'elle ne dit pas. *Ndè-ndé ndè-ndé*, c'est Brétignière. Il avait l'habitude de presser les ouvriers de la plantation d'Élima en leur criant «Vite! Vite!» Mais maintenant, il est malade et il sait qu'il ne guérira pas. Comme un chef agny, il a choisi le lieu de son départ. Il revient. La boîte qu'il t'a donnée pour nous, même pas besoin de l'ouvrir pour savoir ce qu'il y a dedans.

— Et qu'est ce qu'il y a?

— Rien. Elle est physiquement vide, mais spirituellement pleine. Amédée t'a confié un fragment de son âme pour nous dire combien il s'est allégé de son corps.

— Anno, arrête d'attrister notre hôte. Il a bien d'autres préoccupations. Il est temps de lui montrer ses appartements.

Les deux amis échangent un sourire. Anno me conduit à une porte, me souhaite bonne nuit, puis s'évanouit dans la pénombre. Ma chambre à la Résidence de France est identique à celle de Fort Verdier. Une lampe à huile, mèche chahutée par la brise, l'éclaire d'une lumière dansante. Une forme est couchée au sol, recroquevillée en un coin. La tête porte quatre tresses hirsutes.

CHAPITRE À TÊTES ÉLEVÉES
CLASSE RÉVOLUTIONNAIRE

Beaucoup de dames portent les quatre tresses tête d'oursin que Maman fait parfois. Je mets la main sur les fesses d'une avec une grande robe entraînée par terre. Même si elle regarde méchant sur moi, elle n'a pas de queue cachée. Aux messieurs, je demande d'enlever leur chapeau pour vérifier qu'ils n'ont pas de cornes. De loin, je crois voir des canines de loup dans une bouche qui bâille à ciel ouvert. De près, c'est que le monsieur n'est pas denté devant la bouche. Beaucoup de mains s'agitent pour faire des signes. Je les regarde à tension. Il y a bien quelques ongles longs colorés, surtout chez les femmes, mais pas de griffes. Pour l'enfer colonial, Camarade Papa a raison et demi : aucun diable, juste la chaleur. À la recherche d'une fièvre jaune, un docteur regarde dans ma bouche avec une torche et écoute mon cœur à l'aide de mon mot français préféré : « stéthoscope ». Il ne trouve rien parce qu'il se trompe de couleur. La fièvre rouge des masses laborieuses en lutte est ma seule fièvre. On me passe dans une porte et me laisse dans un hall rempli à ras le bol de ferveur populaire. Cris, rires, sauts, embrassades, scènes de fraternisation. On aurait dit le Grand Soir en plein jour. Assis sur ma valise où il y a mes affaires étrangères, je regarde le spectacle du peuple heureux. Au-dessus de ma tête, un très grand poster en pendule publique depuis le plafond. Le monsieur en photo observe la ferveur populaire avec le regard qui descend des nuages comme le camarade Hodja dans le paradis socialiste de Maman.

Son Excellence Monsieur le Président de la République, lettres d'imprimerie en forme de lettres de main. Quand il est dirigé par un *Son Excellence*, le peuple est sous le joug féodal anachronique. Quand il est dirigé par un *Monsieur le Président*, le peuple est sous la coupole bourgeoise réactionnaire. Le pauvre peuple d'ici est donc sous la férule d'un bourgeois réactionnaire féodal anachronique. Alors pourquoi la ferveur populaire dans le hall ? Je sors mon carnet de notes révolutionnaires pour Camarade Papa. J'écris beaucoup, j'ai le temps. Personne pour me cueillir. Juste en dessous du bourgeois-réactionnaire-féodal-anachronique, il y a un indice révolutionnaire. Amédée Pierre, derrière une vitrine de vendeuse à bisous, regarde la ferveur populaire depuis des dizaines de disques qui font 33 tours dans une boutique à musique. À minuit, les gens sont partis, le hall est presque vidé. Je suis fatigué, j'ai sommeil, j'ai faim, mais je tiens la position. De temps en temps, quelqu'un me demande où sont mes parents. Sûrement des espions du bourgeois réactionnaire féodal anachronique en pendule publique depuis le plafond. Je ne réponds pas. Vigilance. On me remarque parce que le hall est comme le désert d'Afrique. Mouvements suspects au niveau du kiosque Air France. Les forces rétrogrades lancent l'assaut. En formation serrée de deux éléments, elles tentent l'encerclement. L'un sourit, le perfide. L'autre a le visage ô dieu, la brute. Discrètement, sous ma chemise, je planque mon carnet de notes révolutionnaires.

— Petit-blanc-là, ça fait des heures tu es tout seul ici-là. Tu dois mourir de faim-là ! Viens, tu vas manger-là et après, on va te trouver tes parents-là.

Tentative de corruption sur agent révolutionnaire en mission. Même si on me met au pied du mur sur les chaises du cimetière, je ne dirai rien. Résistance. Je serre mon sac à dos sur mon ventre. Les forces rétrogrades se rapprochent. Manœuvre de dégagement. Mes jambes se prennent à mon cou. Je tombe. La brute me saisit.

Dans le bureau de la répression du peuple souverain, le repas du perfide est tout étrange. Il ne ressemble à rien que je connais. Une boule blanche nage avec des petits morceaux de viande dans un liquide épais d'une couleur entre le milieu du rouge et la fin du jaune. J'ai peur du poisonnement mais il y a du rouge dans la sauce. Et puis la dictature du prolétariat ne peut pas se faire le ventre vide. Je saute sur le plat suspect, l'avale en moins de temps qu'il faut à Camarade Papa pour mettre en marche inexorable le char-d'assaut-aspirateur du CRAC. La brute siffle dans ses dents. Le perfide me tend une bouteille de Coca-Cola. Je bondis en arrière. Je ne suis pas étonné de ce coup bas. L'interrogatoire commence. Ils savent que j'arrive d'Amsterdam via Commune-de-Paris. Mes papiers sont dans mon sac-à-cou aux mains du perfide. « Ilitch » ? Rien. « Davidovitch » ? Muet. « Shaoshan ? » Silence. Je ne réponds qu'à mon prénom de Maman, celui qui ne trouve jamais la place quand on écrit tous mes prénoms de Camarade Papa. Ça, ils l'ignorent. La brute ne me quitte pas des yeux. Le perfide ne me quitte pas des oreilles. Il parle sans arrêt. Pas vraiment la même langue de français que celle de Camarade Papa, mais je comprends. Les phrases sont plus courtes. Il y a des « la » partout. C'est plus facile. Le téléphone du bureau de la répression du peuple souverain sonne. La brute saute de surprise. C'est drôle. Dans ma tête, je souhaite que le téléphone sonne encore. Et il sonne. À chaque fois, la brute saute. Je ris. Ils sont contents quand je ris. La brute saute encore plus fort à chaque dring. Je ris encore plus fort. Eux aussi. Les forces rétrogrades ne sont pas si méchantes. Je veux bien parler.

— Tremblez de peur, suppositoires du grand capital aveugle et apatride, tremblez de froid ! La dictature du prolétariat est en marche inexorable, la révolution populaire planétaire va frapper. La réaction… à bas ! La bourgeoisie compradore… à bas ! L'aristocratie féodale… à bas ! Vive la révolution ! Vive le peuple souverain !

Devant le miroir du CRAC, je ne suis pas convaincant. Mais ici, le poing en l'air, les traits molo molo dans la voix, à la figure détonnée des forces rétrogrades, je sais que Camarade Papa serait fier. La brute et le perfide se figent. Ensuite, tonnerre et tapettes : ils rient si fort que je crois qu'il va pleuvoir. Ils se tapent le ventre en même temps.

La brute et le perfide me promènent dans beaucoup de bureaux de l'aéroport. Un drôle d'effet d'être pour la première fois en un endroit où tout le monde est de la tribu des marrons. Mais les gens ont un grave problème de couleur et de taille. Ils m'appellent « petit blanc ». Peut-être des signes de la fameuse aliénation dont parle Camarade Papa. Je ne suis ni petit ni blanc. On retrouve l'oncle et la tante qui doivent me cueillir. En attendant qu'ils arrivent, des hommes, des femmes et d'autres forces rétrogrades passent me visiter pour m'entendre parler de la révolution populaire. Ils rient de belles dents blanches. La brute et le perfide sont mes agents de propagande. Ils ramènent du peuple m'écouter. Comme Camarade Papa, je chaîne les discours sur les oreilles de ma tribune populaire.

Émile et Geneviève me trouvent en plein complot international contre le vendeur de bière Lumumba. Ce sont eux l'oncle et la tante venus me cueillir. Le perfide, la brute et ma tribune populaire m'accompagnent jusqu'à la voiture d'Émile. Une Fiat 127, avec le grand «F» de fasciste sur l'étiquette et la chemise brune sur la carrosserie. Qu'est-ce qu'elle fait ici? Je crie que les Fiat sont des voitures fabriquées à la sueur des fronts populaires sur l'échine courbée des masses laborieuses pour enrichir une famille italienne aussi collabo que les Philips hollandais. Je n'ai pas le temps de parler de Volkswagen, la voiture du peuple des Germains détournée par un autre Adolphe fou et sa bande de gammés à nausées. Émile me fourre dans la voiture sous le soleil. Je suis quand même content parce que je ne suis jamais monté dans une voiture. À *De Wallen,* notre quartier rouge, je prends le vélo de la révolution Mao de Camarade Papa, quelques fois la moto bombardier de paix avec Maman, et toujours le transport populaire. J'ai pris le transport privé une seule fois. À dos de Yolanda. Une image est piquée sur la porte des toilettes-camp-de-repli. Moi bébé, dans un pagne multicolore, attaché au-dessus de la fessée de Yolanda qui rit ses belles dents.

Camarade Papa, sérieux comme toujours, tend vers l'objectif le bras de la protestation syndicale contre les abus du patronat. Maman, photographe absente mais présente.

—

Un pont, une lagune, quelques immeubles, forêt, forêt, forêt... Le grand défilé du paysage m'est aussi étranger que le repas du perfide. La route fait le serpent noir dans la forêt inexplicable. De loin, on croit que les arbres le coupent. De près, il laisse un tunnel de vert à la voiture chemise brune. La seule forêt que j'ai vue est dans le parc où quelques fois, avec Maman, on part à dos de moto bombardier de paix, une Vespa rouge fabriquée en tôle, en roues et en démarreurs des bombardiers de guerre qui n'ont plus rien à faire en l'air en temps de paix. On doit reconvertir les chars de guerre en tracteurs, les canons de guerre en creusets, les balles de guerre en batteries, les avions de guerre en souffleurs, les généraux de guerre en ingénieurs, et encore plein d'autres choses de guerre en choses de paix, dit Maman. On doit mettre toutes les choses de guerre dans les mains des ouvriers et des paysans révolutionnaires pour faire plier tous les bourgeois compradors du monde. Pour ceux qui ne sont pas assez souples, pendules publiques et exécutions sur les chaises du cimetière, dit Camarade Papa. Maman et Camarade Papa sont toujours en deux accords. C'est idéal pour les cris du peuple souverain les rares fois qu'ils sont ensemble. La forêt de mon parc est très disciplinée avec ses arbres droits en rangs de grands défilés. Les fois où Maman ne fatigue pas trop, on joue à cache-cache et on se retrouve. Dans cette forêt qui ressemble à celle de la tribu des Boni-marrons du Surinam, Maman va me perdre. Seule Yolanda pourra me retrouver. Dans la Fiat chemise brune sur le serpent noir au milieu de la forêt, Émile parle de Camarade Papa avec les nerfs. Il veut qu'il arrête de vouloir changer le monde, mais qu'il se change lui-même. Je pense sur moi qu'il ne sait pas que Camarade Papa a tellement de chemises haut col Mao qu'il peut en distribuer au monde entier. Émile raconte qu'on n'élève pas un enfant comme on élève un singe savant. Émile ne comprend pas pourquoi Camarade Papa ne les a pas prévenus du jour exact de mon arrivée. Moi je comprends. Manœuvre de diversion. Mais je ne dis rien. Geneviève parle de Maman avec le cœur et les traits molo dans sa voix. Elle dit que je lui ressemble beaucoup. Que nous avons les mêmes yeux. Que je suis blanc comme elle. Elle a raison et demie. On me dit toujours que des yeux, je ressemble à Maman. Mais comme les autres, Geneviève a un grave problème de couleur. Elle a même un projet de peinture sur moi. Elle dit que si on me colorie le visage en noir très foncé, je ressemble de la tête exactement à un certain Nanan Alloua-Treissy. Geneviève a aussi un problème de taille. Chaque fois que le grand défilé de la forêt est interrompu par quelques maisons, elle dit qu'on traverse une ville. Je sais bien qu'une ville ne peut jamais être aussi petite. Mais je ne dis rien. Après quelques heures de voiture fasciste, le soleil joue à cache-cache derrière les arbres de la forêt inexplicable. Il finit par se perdre et c'est le noir. Je n'ai plus rien à voir. Émile et Geneviève se taisent de silence. Je n'ai plus rien à entendre. J'ai passé deux journées révolutionnaires à vous fatiguer des leaders plus maximaux que le camarade Fidèle Cigare. Je me dors. Je ne me rappelle pas à quel moment on arrive à Assikasso.

Émile est un paysan à chocolat. Il plante des cacaos qui donnent des chocolats. Geneviève est une maîtresse à follets. Elle enseigne à l'école primaire publique EPP Assikasso 2. Dans l'école de Geneviève, Camarade Papa peut organiser tous les rassemblements populaires dont il rêve, tellement elle est grande. La cour de récréation est placée sous le ciel entier. Pas comme le petit carré au-dessus de notre école derrière les murs de *Oude Kerk*. EPP Assikasso 2 est tellement grande que tous les enseignants vivent dedans avec leurs familles. Ils habitent des villas avec tulipes dans les jardins, les mêmes fleurs qui ont inventé le capitalisme à bourses pleines. Émile et Geneviève n'ont pas d'enfants. Unique ici aussi, comme le camarade cosmonaute Youri Gagarine dans le Vostok, je flotte dans l'espace d'une grande chambre pour moi tout seul. On peut y mettre deux CRAC entiers, camp de redressement compris. La première nuit, le sommeil que j'ai commencé dans la voiture, je ne le retrouve pas dans la chambre. Je pense à trop de choses. Le lendemain matin, comme on vit dans l'école, je pars en classe à la main. Geneviève me la prend de force, elle me tire. Je freine, je veux dormir. Et puis j'ai peur. À la porte de la classe avec moi en attelage, tout le monde se lève droit et crie comme un homme seul.

— Bonjooooouuuur maaaadame !

Je coupe mon frein, ce qui nous fait rentrer dans la classe en courant. Short et chemise couleur belge, chaussures plastique, les garçons sont tous identiques. Robes à carreaux bleu-blanc, chaussures en cuir, les filles sont toutes jumelles. Quelle discipline ! Même sur les têtes. Tous les cheveux ont la même crêpe couleur noire. Avec ma rouille défrisée sur la tête, je vais encore faire l'étrange. Marko-le-jaloux est un nain ici tellement les garçons sont grands. Certaines filles ont des gros bonbons pour messieurs, mais plus petits que ceux de Yolanda. Le maître sourit à Geneviève avant de parler.

— Nous avons un nouveau camarade de classe.

— Bonjooooouuuur camaraaaade !

Je crois que je rêve dans le sommeil que je n'ai pas fini. Une classe révolutionnaire vivante ! On n'est plus ni dans les livres ni dans les discours de Camarade Papa. Une vraie classe populaire. Je me redresse dans l'attitude révolutionnaire légale. Le maître me parle.

— Dis bonjour à la classe.

Deux bras le long de mon corps en « i », je frappe du talon droit au sol pendant que l'autre pivote légèrement. Quart de tour gauche exécuté à la perfection en direction de la classe, voix claire, sans traits molo.

— Bonjour la classe populaire. Vive la révolution !

J'ai le poing en l'air évidemment, Geneviève, les deux mains sur la tête. Le maître lui fait le signe de partir. Dès qu'elle franchit la porte, la classe s'assoit comme un homme seul. Discipline populaire. Pour la première fois, personne ne me regarde, même par curiosité. Devant le bureau du maître, une fille se pousse au bout d'un banc pour deux, et je m'assois. La fille élève la tête, avec elle toute la classe. On dirait qu'un grand timonier va parler. Je regarde le maître, il fait dos aux élèves. Lui-même élève la tête en l'air. Je me décide de faire comme tout le monde. Je suis plus détonné que la première fois que je me suis garé à *Centraal*. Ma nouvelle classe populaire est vraiment révolutionnaire. Au-dessus du tableau noir, une télévision est allumée.

Légende du pacte d'Ahounyanssou

«Nous vivions le long d'un fleuve qui pourvoyait en eau, enrichissait nos terres d'un limon si fertile qu'il n'était pas nécessaire de se courber pour faire pousser la nourriture. Éhuia-Râ, le dieu soleil, faisait briller l'or que nous tirions des lits de nos rivières. Toutou Aka-Amon, Aké-Naton, Râm'ssèssè, Amon-Otèp, Amon-Éfhui, Amon-Amath, N'sèti, N'néfertiti, Asan-ti, Opokoun-ti…, nos rois et reines étaient couverts du métal précieux. Nos savants leur dessinaient de somptueux palais construits à la force des bras des nombreux peuples à notre service. À leur mort, on les inhumait dans des bâtisses suffisamment grandes pour abriter richesses et accompagnants. Au pays-de-l'après, où la vie est plus longue que sur terre, ils ne devaient manquer de rien. Mais, aveuglé de vanité par les reflets de l'or, chaque roi voulait une sépulture plus grande que celle de son prédécesseur. Trop occupés à bâtir et décorer des sépulcres, nous n'avons pas vu venir du nord les sauvages d'Hélâ-Assi, de l'ouest les barbares d'Ama-Assi, de l'est les vandales d'Assi-iri. Nous restait le sud. Nous fuîmes en longeant le fleuve. Après le village de Nanan Assouan, nous nous dispersâmes pour perdre l'ennemi à nos trousses. Il y a ceux qui continuèrent plein sud vers Kokoli-Kongo. Il y a ceux qui gravirent les hauts plateaux avec Nanan Nti-Opi. Nous prîmes le sud-ouest, par le pays des sables sans fin: Ahounyanssou.

Ahounyanssou est un désert aride vallonné de dunes à perte de vue. Nous savions comment survivre. Qui cherche or, d'abord trouve eau. Les peuples à notre service en profitèrent et ne périrent point. Ils s'arrêtèrent aux premiers arbres après la traversée. On baptisa le pays Afèli-Kongo, terre des épuisés. Nous leur rendîmes leur liberté et leur laissâmes Kakou Mensah, un chef de guerre, pour veiller sur eux et couvrir notre retraite. Ils nous jurèrent fidélité éternelle: le pacte d'Ahounyanssou. Encore aujourd'hui, ils donnent le nom de Mensah à *leurs rois. Nous continuâmes notre chemin jusqu'en des contrées riches en or. En mémoire des temps anciens, nous nous implantons non loin d'un fleuve et laissons toujours une place déserte au milieu des villages. Nous continuons d'enterrer nos rois avec leur or en les accompagnant de seulement quelques kangah, des captifs de case. Fini les pyramides!»*

par Kouamé Kpli Eugène Cébon
Maître d'hôtel à Fort Verdier
Grand-Bassam

CHAPITRE MANTICORE
MALAN ALLOUA

Un homme, blanc, seul dans les tréfonds de terres inconnues, au cœur d'un enfer de forêt dense, empêtré dans un fatras de lianes, machette à la main, fusil en bandoulière, en lutte contre les éléments déchaînés, sous la menace de créatures inconnues des naturalistes les plus érudits, à la merci de la cruauté de peuplades anthropophages… mais un homme avançant sans peur, guidé par le génie de sa race, transcendé par le sens du devoir, exalté par l'intérêt supérieur de la civilisation… Livres, journaux, illustrés, récits, publications construisent un imaginaire collectif où l'explorateur, porteur des plus hautes valeurs morales, repousse les limites du courage en même temps que les bornes de l'empire. Héros authentiques, Stanley, Livingstone, de Brazza, en sont les parangons.

Dans son défilé sur la piste dans la forêt, le cirque de ce matin s'ébranle pataud, bruyant, brouillon, en écornant fortement cette image idyllique. Une troupe d'éclaireurs est menée par l'Agny Tano, porte-drapeau ; suivent trois interprètes, dont Louis Anno accompagné de ses deux femmes, ses quatre enfants et deux servantes ; une quinzaine de tirailleurs de la milice de Fort Joinville, tenues dépareillées, baïonnettes vissées aux Chassepot, suivis d'à peu près le même nombre de femmes, enfants parfois harnachés à la croupe, portant, en équilibre sur la tête, caisses de munitions, ustensiles de cuisine et quelques autres ballots ; trente-deux porteurs mandés-dyoulas longilignes et une dizaine de porteurs akaplèss trapus et musculeux, stoïques sous le poids des malles de Dejean et des caisses de Dreyfus ; six boys dédiés au service des trois blancs ; deux chèvres en laisse, tirées au milieu d'une douzaine d'accompagnants non identifiés. Et Adjo, ma voisine de chambre, comme une devineresse grecque, recouverte de la tête aux pieds par une combinaison d'étoffes blanches. La caravane s'étire sur des dizaines de mètres. Plus on avance, plus augmentent les distances entre les groupes. Après deux heures, Treich, Dreyfus, Anno et moi quittons la horde. Une piste de traverse descend vers une prétention d'embarcadère sur les bords d'une lagune. Nous attend Le Voaz, capitaine du *Diamant*. Nous utilisons le vapeur de lagune transformé en canonnière pour transporter une partie des vivres et le reste d'affaires qui n'ont pas encore trouvé têtes de porteurs. Nous glissons sur la lagune Abi, grand lac intérieur, au nord d'Assinie. Il est enclos d'un théâtre de verdure. Pas de plages. Des pentes escarpées, la forêt dégringole jusque dans les eaux. Les cent cinquante hectares de la plantation de café de la Compagnie de Kong sont accrochés à une de ces déclivités, près du village d'Élima.

Le *Diamant* file plein nord. Il porte un canon de 52, une mitrailleuse Hotchkiss, douze Kropatchek, fusils à répétition tchèques aux mains de laptots sénégalais. Même sans les Lebel de mes Alsaciens, l'armement du vapeur lui procure une puissance de feu sans égale sur toutes les eaux navigables de la côte et de l'intérieur des terres. De nombreux villages insoumis ou en rébellion ont goûté de sa plombaille. Il y a quelques années, à la suite d'une regrettable méprise sur le triste sort d'un certain capitaine Thévenard, le *Diamant* attaque Abi, le village qui donne son nom à la lagune. Le bombardement dure une matinée. Abi est rayé des berges. La paix revenue, le chef d'Abi demande ce que signifient les signes sur la coque de la chaloupe de guerre. Louis Anno affirme que l'interprète de l'époque éprouve toutes les difficultés du monde à faire entendre au brave homme que le diamant est une pierre avec laquelle on fabrique les plus précieux bijoux des femmes de France. « Je comprends pourquoi l'homme blanc voyage seul. La femme blanche doit être redoutable », aurait conclu le chef Amon d'Abi. Raconter une histoire est le début d'une leçon. Je l'ai appris avec Eugène. J'attends celle que délivre Anno accoudé au bastingage du *Diamant*.

— Pénélope n'existe pas, ici. La femme suit Ulysse, elle ne l'attend pas. La jeune dame de l'autre soir…

— Il ne s'est rien passé.

— Je ne doute point du chevaleresque en toi. Qu'il ne se soit rien passé est tout à ton honneur. Et l'honneur est la valeur la plus séduisante pour une femme agny. Ce matin, tu as bien remarqué qu'elle était entièrement couverte ?

— Oui.

— As-tu remarqué qu'elle était en blanc ?

— Oui.

— *Urbi et orbi*, elle clame que sa matrice est inviolée depuis sa naissance, qu'elle aussi est une femme d'honneur qui a fait son choix. Et je crois qu'il n'y a pas de mystère autour de qui elle désigne comme son choix, messire Dabilly.

— ...

— Krinjabo, notre première étape, est son village natal. Elle y est une personne d'importance et pas seulement parce qu'elle est de la famille royale. Mais je pense qu'elle va continuer plus loin avec nous, avec toi.

Un interprète noir à tête androgyne, coiffé d'un chapeau de marin à pompon rouge, s'épanchant à propos d'une Ève noire à tresses hirsutes et ventre étoilé dans un vapeur de fortune armé comme un fort anglais sur les flots d'une mer intérieure cernée d'une végétation des temps d'Adam. Cette image m'enveloppe d'un nuage d'irréel. « Nous y voilà ! » Treich bat le rappel à la réalité. Au fond d'une baie, la rivière Bia se jette dans la lagune Abi en rapides barrés de blocs de rochers. Fin de la navigation, pied à terre. Un kilomètre de marche et nous serons à la capitale du royaume agny du Sanwi : Krinjabo.

—

Notre pavillon flotte à l'une des branches du Krinja, le ficus emblème du village qui peine à ombrager l'arène. Treich est calme, Dreyfus excité. Sûrement la vue des hommes et femmes de la cour royale bardés d'or. S'il vient l'idée à un forgeron céleste de passer la grand-place de Krinjabo à sa fonderie, il en obtiendrait une belle mare dorée. Doigts, orteils, poignets, chevilles, oreilles, cous, nez, mais aussi pommeaux de cannes, manches de chasse-mouches…, tout est percé, serti ou recouvert d'or. Sans cet étalage, la cour ressemblerait à une troupe de cirque, une équipe de pittoresques déguisés au hasard de ce qui tombe d'un grenier. Parapluies multicolores ; fleurets de mousquetaire ; montres à gousset enchaînées à des cous ; constellation de médailles comme la Légion d'honneur et le Mérite agricole épinglées sur les pagnes, les tuniques, n'importe où ; lorgnons pendus à des oreilles ; parasols en papier illustrés d'idéogrammes orientaux ; dalmatiques brodées de sigles cabalistiques ; tablier de chirurgien ; longue-vue sans lentilles ; queue-de-pies décatis ; et d'autres objets aussi probables en ces lieux qu'un noir dans les fonctions de George Washington à la Maison Blanche. Aux couvre-chefs le pompon de l'inattendu. Le bonnet phrygien n'est pas seulement à la mode Eugène Cébon. Il couvre une tête de notable sur deux. Il y a plusieurs chapeaux melon, quelques tricornes, trois tarbouches, un casque à pointe et un gibus gigotant de son ressort déglingué au moindre mouvement de son porteur. Mais malgré l'iconoclastie des tenues, les attitudes sont nobles, les postures gracieuses, pleines d'une morgue commune à toutes les cours royales du monde.

Le populaire enserre la place. Nous sommes assis d'un côté, le roi Akassimadou et sa cour de l'autre. Louis Anno, debout entre les deux camps. L'impression de gladiateurs prêts à l'affrontement dans une arène. Le silence en rajoute à la tension. L'auguste séant posé dans un authentique siège Louis XIV bancal et rembourré d'étoffes anglaises, le roi lui-même porte une veste d'officier de spahi, couleur vive, trop petite et sans boutons. Aussi extraordinaire que cela paraisse, son chapeau est strictement assorti. Au-dessus de lui, un valet maintient un parasol auquel il imprime des mouvements de bas en haut pour en faire danser les franges dorées. À sa droite, un flabellifère agite un éventail de plumes d'autruche. À sa gauche, une femme blanche ! De la tête au pied, elle est peinte de kaolin, une argile laiteuse. Pagne immaculé aux reins, seins tombants sur le ventre, visage de pierre, regard fixe, pas un battement de cil : une statue vivante assise sur un tabouret en or massif.

Échange public de cadeaux. La foule doit être témoin de combien la France est généreuse et respectueuse du pouvoir d'Akassimadou. Puis échange de propos. Treich parle, Anno répercute, le porte-canne murmure au roi. La réponse fait le chemin inverse. Le roi ne parle jamais en public. Son porte-canne est maître de toutes les cérémonies. Un simple pagne à la ceinture, il contraste en sobriété vestimentaire avec le reste de la cour. Et comme l'indique son nom, il porte la canne lorsque se déplace le roi. Expédiés les banalités sur les santés respectives, les remerciements, les considérations météorologiques, les dangers de la brousse, la fortune de la route et tutti quanti, Treich présente Dreyfus comme un savant envoyé par Verdier étudier les secrets de la fertilité des sols. Quelqu'un lui souhaite bonne chance pour trouver les testicules de la terre. La foule éclate de rire. Treich attend qu'elle se calme pour me présenter comme un envoyé d'Amédée Brétignière. Quelques têtes remuent à l'évocation de celui qui a passé des années à sillonner le pays. Ensuite, est exposé le but du voyage : le Bondoukou, Kong, la recherche de notre compatriote LG, et surtout la menace anglaise. Ni bureau ni aparté. Que cette discussion se fasse en public, sous les yeux et le jugement du vulgum pecus, me sidère. Je ne peux pas croire que ce soit la règle. Un homme de pouvoir, où qu'il soit, quelle que soit sa couleur, ne peut prendre le risque de traiter toutes les affaires d'État devant ses sujets. Considérer une question sans en donner l'air. Akassimadou est dans le jeu du pouvoir. Il feint d'oublier le vieux traité signé par son oncle. Néanmoins, au nom de son amitié avec Verdier, il consent à nous aider. Seront fournis porteurs, vivres, interprètes et bénédictions pour que l'entreprise de Treich soit un succès. Sa parole publique ne l'engage en rien. Seule compte celle donnée au cours de négociations secrètes en réalité. Mais, de la manifestation de sympathie de la France, il tire prestige aux yeux de son peuple.

Après une heure de ce palabre sans intérêt pour nous, la distraction et l'agitation du public sont bon signe pour lever la séance. Même la curiosité de voir des hommes blancs a ses limites. Alors la femme blanche, la statue de kaolin, le visage de pierre s'anime. Elle esquisse un discret mouvement de menton et le silence retombe en chape sur l'assemblée. La voix est gutturale, les lèvres bougent à peine. Le porte-canne se contorsionne pour recueillir le propos. Elle me fixe. Je n'ai pas le courage de penser que la créature s'adresse à moi. Sa parole fait le parcours porte-canne-interprète. Louis se tourne vers moi. Je dois me rendre à l'évidence, la créature me parle. Louis ressent mon embarras. Il répond directement, autrement dit parle à ma place. La voix gutturale le coupe. Porte-canne hors jeu.

Foule coite. On entend tomber du coton. Anno se rapproche, je le coupe. Interprète hors jeu. Je comprends ce que me veut la dame blanche. Leçons Eugène Cébon, stade élémentaire.

— Je suis Maxime Dabilly, fils de Pierre Dabilly et Catherine Bernard. Mon aïeul est un soldat récompensé de son courage à la guerre par une terre qui porte son nom. Je viens vous saluer depuis mon petit village de France jusqu'où le nom de Krinjabo est arrivé. Les nouvelles sont bonnes, rien de grave ne m'amène. J'ai la bouche pleine de mots, mais la parole qui commande aux peuples est albinos. Elle est blanche de vérité et ne supporte pas l'éclat du soleil.

Clamer en public son nom, sa filiation, ses origines, Eugène appelle cela « lever drapeau ! » À Krinjabo comme à Abilly, porter un nom, c'est porter des parents et une terre. Explorateur est un mythe européen. Il n'existe pas un lopin de terre qui ne soit revendiqué par un humain. On ne découvre pas, on s'invite. À d'autres hommes, on dit qui on est. « Bonjour, je m'appelle… » La première partie de mon discours en agny a été facile à apprendre. Plus difficile à mémoriser, l'hermétique formule sur la parole albinos qui dit en résumé que les sujets importants ne se débattent pas en public. Parler une langue sans la comprendre, je sais faire depuis longtemps. Murmures dans l'assemblée. Indistincts au début. Puis j'entends un « Parisien ! » ici. Un autre « Parisien ! » là. Encore un autre… À la vitesse d'une mèche enflammée, la place mugit de « Parisien ! Parisien ! » à toutes les gorges. J'ai peur d'une jacquerie. Le sourire de Louis Anno me rassure. « Parisien ! Parisien ! » Le porte-canne essaie de ramener le calme. En vain. Il lève la séance dans un tohu-bohu sans nom. « Parisien ! Parisien ! » La cour s'évapore. La foule me tombe dessus. Il faut toute la vigueur de nos Sénégalais pour m'extraire de l'enthousiasme populaire.

—

Le village de Krinjabo est logé dans une clairière en forme de haricot. Notre campement est établi lisière ouest. Personne de perdu. Pas encore. Dans la forêt, une caravane n'est pas qu'un défilé de membres à équidistance se mouvant à vitesse uniforme. Parfois, il faut plusieurs jours pour rassembler une équipée. Les désertions arrivent, mais elles sont rares. Porteur est un métier comme un autre, avec une conscience de corps : en toute saison, par des chemins où parfois renoncent les bêtes de somme les plus coriaces, transporter hommes, vivres, armes, matériel... ils sont les héros de nos explorations des forêts. Un soir, Schäkele nous avait lu un article où Stanley leur rend hommage. Inattendu de la part d'un homme à la réputation d'immoralité si achevée. Les porteurs sont indispensables à cause de l'absence de chariots. Humidité et maladies des forêts déciment chevaux et ânes. Introduire les chameaux ? Impossible. Aucune de ces bêtes ne tient l'humidité plus d'une semaine. Ouvrir des routes ? Il faudrait être un mulâtre de Titan et Sisyphe. Avec tous ces arbres géants, la tâche est colossale. Quelques jours seulement sans être carrossées et la nature reprend ses droits.

Tous nos porteurs sont présents au bivouac de Krinjabo. Grâce à mon succès de l'après-midi, nous recrutons de nouvelles têtes. Les cadeaux de la cour royale consistent en une théorie d'animaux domestiques parmi lesquels six chèvres. Nous faisons bombance d'une. Tirailleurs sénégalais et porteurs mandés-dyoulas l'assaisonnent en brochettes. Ils font une nouba rythmée par des tambourins polytoniques coincés sous les aisselles. Leurs chants s'élèvent dans les airs en même temps qu'un appétissant fumet. Porteurs agnys et assimilés sont réunis autour de la potée familiale Anno. Tête, cou, côtes, tripes, abats, pieds, diverses parties osseuses, selon eux les morceaux de choix, sont concoctés en soupes pimentées à des concentrations criminelles. Pour un voyage d'exploration de trois mois, le transport des conserves et boissons destinées à l'alimentation d'un seul blanc rallonge le convoi d'une douzaine de porteurs. En plus de la lenteur, il en résulte une augmentation des coûts. La rentabilité et l'efficience d'une expédition coloniale dépendent donc de la capacité à manger local, c'est-à-dire à supporter le piment à ces doses homicides. Il faut voir Treich se délecter des tripoux de mesdames Anno ! Je ne me lance pas. Ce soir, pour moi, brochette à la façon tirailleur sénégalais, accompagnée d'ignames bouillies à l'eau servies sur un filet rouge d'huile de palme.

Le dîner terminé, réunion d'état-major. Les notes du précédent voyage de Treich ont permis à la Société de Topographie de France de dessiner une carte plus précise de la région, qui s'étale sous nos mines sérieuses. Treich montre des points et des traits qui ont autant de sens pour moi qu'une version zoulou du missel. Il fait et défait notre itinéraire plusieurs fois. Il hésite. L'option plein nord reprend la trajectoire de sa première exploration. Elle est jalonnée de nombreuses étapes à chacune desquelles il faut marquer l'arrêt, vérifier que le pavillon français flotte effectivement au-dessus des places où ont été signés les traités.

— J'ai dit que je reviendrai avec des cadeaux. Rien n'agrée plus un chef africain qu'une parole tenue. Ça va nous prendre des jours de palabres et de fêtes chaque fois. Mais le trajet est plus court...

— ... et le chemin plus ardu, ami mien. Le territoire est vallonné pendant une dizaine de jours de marche.

Anno coupe Treich.

— En forêt tropicale, une petite colline est l'équivalent d'un mont de chez vous. Les pentes sont escarpées, boueuses, et couvertes d'une végétation inextricable. Quand on ne s'est brisé la nuque ni à la montée ni à la descente, éviter de se noyer dans l'inévitable cours d'eau au pied de chaque coteau. Et s'il est tombé le moindre crachin en amont, le plus petit ruisseau se transforme en mer biblique. Gravir les montagnes puis fendre les eaux... En ton état de santé, mon bon ami, il est déconseillé de jouer, plusieurs fois par jour, le Moïse des pays agnys.

Le foyer de la pipe d'Anno rougeoie sous l'inspiration. Une volute s'échappe de ses narines. Personne ne sait vraiment d'où il tient son langage de préfet et ses manières de vicomte. L'option nord-nord-ouest des plans de Treich rejoint la rive gauche du Comoé vers Yakassé. Choix de l'inconnu humain, mais certitude d'un environnement de marche moins pénible : le chemin qui longe un cours d'eau est plat. S'enfoncer dans les terres en suivant les fleuves est une spécificité française. Sur le Mississippi et le Saint-Laurent du temps des Amériques ; par le Mékong et le Yang-Tsé-Kiang en Cochinchine et Indochine ; le long du

Sénégal et du Niger dans l'Ouest africain ; courant l'Ogooué et le Congo en Afrique équatoriale ; au fil de l'Oubangui et du Chari dans le centre africain… Rhône, Rhin, Loire, Garonne, la France a le sens de ses fleuves depuis des siècles. On ne se réinvente pas, même en s'étendant en empire. À l'opposé, les Anglais filent droit. Insulaires, coutumiers d'être à l'étroit, ils sont économes en trajectoires. Au plus court, au plus pratique, peut se résumer leur philosophie d'invasion. À l'anglaise ? À la française ? Notre problématique de trajectoire n'est pas résolue quand les estafettes de sa majesté Akassimadou se font annoncer.

—

Le bouillant village de l'après-midi est fantomatique. Funeste dans la robe de la nuit, l'arbre Krinja a des allures de succube dressé sur la grand-place. Une nuée de chauves-souris volettent autour de ses branches. Leurs chants en rajoutent au lugubre. Les Agnys disent que ces messagères d'âmes égarées parlent pour voir et se perdent si elles se taisent. Nos courriers sont silencieux, mais point perdus. Aussi nyctalopes que les chauves-souris, ils nous guident dans un entrelacs de ruelles faufilées entre les cases. Un mur d'enceinte, une cour intérieure, des corps à terre. On enjambe, on bute parfois, personne ne bouge. Morts ? Endormis ? L'obscurité ne permet pas le distinguo. S'ouvre une porte. Au milieu d'une pièce, un foyer à l'agonie. Notre irruption allume des lampes à huile. Magique. Nos voisins à vision nocturne s'effacent comme dissous à la lumière. Les visages s'éclairent. Je reconnais immédiatement quatre tresses hirsutes. Je n'ai pas vu Adjo depuis qu'on a quitté la horde pour le *Diamant*. Elle a de nouveau une tenue normale c'est-à-dire qu'elle est presque nue. Dans la chambrée, une dizaine de femmes vêtues autant qu'elle. Nous sommes les trois seuls hommes. Si par extraordinaire une pensée lubrique traverse un esprit mal tourné, le regard de Dame blanche rappelle à la raison. À côté de Adjo, la statue vivante de l'après-midi est assise sur son tabouret en or massif. Madame kaolin est Malan Alloua. Je la pense reine, épouse d'Akassimadou. Elle est en réalité reine-mère, sœur d'Akassimadou.

— La bonne-séance impose de te donner de l'eau avant tout. Mais cet après-midi, tu as dit avoir la bouche pleine de paroles. Je ne veux pas que tu les avales avec.

Nous sommes à peine assis qu'elle me parle en me fixant. À ces heures, le protocole est aboli. Les marques de déférence sont faites pour être vues et l'œil ne perce ni obscurité ni mur. Alors la nuit, la parole est plus libre. Je la prends. Anno traduit.

— On entend de plus en plus les claquements du drapeau anglais lorsque souffle le vent de la Gold Coast. Et on ne peut pas confier au vent une si vieille amitié entre deux peuples. Le cadavre de Amon-Ndouffou est encore chaud, son âme est encore fraîche, il est indécent d'oublier que c'est avec nous Français qu'il a fait la Krinjabo qui est sous nos pieds. Il se dit même que les conseillers de la cour mettent dans des assiettes anglaises la nourriture que leur donne la France.

Amon-Ndouffou, roi défunt, ami de Verdier et Treich, est l'oncle d'Akassimadou. Il a signé le traité liant les pays de Krinjabo au royaume de France de Louis-Phillipe. Chez l'Agny, la transmission du pouvoir est matrilinéaire de type avunculaire. On hérite de son oncle, le frère utérin de sa mère. De sorte qu'un roi connaît deux types de successeurs : les enfants de sa sœur et les frères de sa mère. Ils sont tous légitimes. Il n'y a pas de rang de naissance ou de génération. Dans sa légitimité, sa prise, son exercice et son héritage, le pouvoir agny est féminin.

— Aucun notable ne parle au nom du Sanwi. Le roi, c'est Akassimadou !

Il faut entendre : « Le roi, c'est moi ! » Devant les talents de meneuse de Malan Alloua, Amon-Ndouffou ne cachait pas que sa nièce aurait hérité de son pouvoir si elle avait été un homme. Akassimadou, frère d'Alloua, est poliomyélitique. Depuis l'enfance, il dépend de sa sœur pour tenir debout. Elle l'a porté jusqu'au trône. Au royaume de Krinjabo, à Akassimadou la tiare, à Malan le bâton. Je reprends ma parole albinos.

— Nanan Verdier a juré au nom de la République, le plus grand fétiche de France, qu'il enverra Treich jusqu'à Kong.

— Il y arrivera si les esprits le veulent. Les esprits accompagnent les âmes pures.

— Comme les deux mains qui se lavent, Nanan Verdier a fait Nanan Amon-Ndouffou et Nanan Amon-Ndouffou a fait Nanan Verdier.

— C'est une parole de vérité.

— Il est dans l'ordre naturel des choses que les fils achèvent l'œuvre des pères.

— Il fait nuit, Parisien ! Tu peux montrer du doigt le trou dans mon bas-ventre sans que personne ne s'en offusque. Parle.

— Le pacte d'Ahounyanssou.

L'étonnement africain n'est jamais feint. À l'unisson, l'assemblée de femmes : «Han !» Les corps se redressent, les têtes s'agitent, Treich est calme, Anno se tourne vers moi. Il n'a pas le temps de traduire. Alloua a compris. Les autres aussi. Un seul mot suffit : «Ahounyanssou».

—

Malan Alloua a quelque chose d'une Catherine de Médicis. Elles ont toutes les deux des traits ingrats. Elles savent comment jouer de la fiole vénéneuse. De nombreux ennemis de cour ont goûté leurs spécialités jusqu'à trépas. Aussi bigote l'une que l'autre, leurs convictions religieuses tranchées les inclinent vers des méthodes sanglantes pour régler les divergences d'opinions sur le sacré. L'Européenne a fait trucider de l'hérétique par milliers, et graver en lettres d'horreur une Saint-Barthélemy arrosée en sang protestant. L'Africaine est assidue aux cérémonies de fétiches exigeant des accessoires tirés de l'anatomie humaine. À vif ou post mortem, elle n'a pas de tabous sur les méthodes de collectes.

Alloua comme Catherine possède un «escadron volant». Krinjabo jouit de la réputation d'avoir les plus belles représentantes de la race agny. Étant deux fois plus nombreuses que les hommes, même les plus malgrâcieux y concluent hymen sans ferrailler. Une escouade de courtisanes forme une garde charmante autour de la reine-mère. Elle sait les envoyer défendre ses intérêts personnels et ceux du royaume jusque dans les alcôves des notables les plus retors, ou sous les moustiquaires des blancs les plus influents. Son dispositif de vénusté se déploie sur toute la côte, jusque chez les Anglais. Alloua n'a point d'enfant, elle ne donnera pas une succession au trône, mais les sœurs et les tantes du roi se bousculent pour entrer dans ses grâces. Elles savent que c'est elle qui désignera l'héritier parmi un de leurs fils. Savante du coitus interruptus, elle choisit et répudie ses hommes selon son bon vouloir ou ses intérêts. Tous ceux qui, par excès d'ardeur, se sont oubliés à l'arroser de liqueur séminale ont servi d'oblation à quelque fétiche. Si par extraordinaire une semence masculine fertilise sa matrice, Malan Alloua use de ses fines connaissances des plantes abortives. Voilà en quelques traits, la femme à qui je parle du pacte d'Ahounyanssou.

Pendant de longues minutes, Alloua ne dit rien. Elle est redevenue la statue vivante de l'après-midi. Faire peser le silence est une parole forte. À la cour de son oncle, elle a appris comment se prend et s'exerce le pouvoir. La colonne de fumée du foyer mourant semble émaner d'elle. La pénombre n'adoucit pas la disgrâce de son visage au regard de basilic. Sur le mur, les ombres projetées sont spectrales. Réunion de sorcières ne peut trouver meilleur illustré. De sa voix d'outre-tombe, manticore Malan brise le silence.

— Catheriny...

Elle lit les pensées. Sinon, comment peut-elle deviner mes élucubrations comparatives avec Catherine de Médicis?

— Fils de Cathériny...

Elle ne lit pas les pensées. Elle se souvient du prénom de Mère. Je l'ai prononcé à mon «lever drapeau!». Les Africains retiennent facilement noms et visages. En culture orale, l'état-civil est une carte dessinée par la mémoire collective. La fonction développe l'organe.

— …Je ne t'ai jamais envoyé Adjo. De toutes les femmes ici, elle est la seule que je n'ai jamais envoyée nulle part.

Anno et Treich se regardent. Je les crois moqueurs et indignés d'entendre parler du froufrou des pagnes à pareil moment, par ma faute. En réalité, même si j'ai pris la parole, les deux amis savent mieux que moi où elle mène. Coutumiers de la palabre agny, ils n'ignorent pas qu'on peut passer à l'âne sans avoir achevé le coq, vers lequel on finit toujours par revenir.

— Un de vos pères a vécu parmi nous. Un homme de valeur. On dit qu'un roi franssy qui faisait la concurrence au soleil nous l'a envoyé. Il conseillait notre roi et participait aux menées guerrières qui ont assis notre autorité sur les sauvages Agwas, les courageux Bônoua, les têtus Éhotilés, et les perfides Apoloniens, nos pires ennemis. Quand est mort le roi, en compagnon fidèle, cet homme a exigé de l'accompagner à Blô, le pays de nos ancêtres. Le sabre multibranche s'est abattu sur son cou. C'est en son nom, au nom des victoires où il nous mena, au nom de son sacrifice suprême, que nous avons signé le traité de Nanan Louis-Filipy, à une époque où votre Républiky n'existait pas. C'est en son nom que Nanan Amon-Ndouffou a aidé Nanan Verdier à résister aux Anglissy, même quand il n'y avait plus un seul fusil franssy sur toute la côte. Cet homme s'appelait Parisien ! Il a laissé une descendance dont l'héritière est ici. La voix de ses ancêtres l'a guidée vers toi jusqu'à Grand-Bassam.

Sur le mur, mouvement d'ombre d'une tête à quatre tresses hirsutes. Ce visage bien trop à l'ovale, ces lèvres beaucoup plus fines que la normale bassamoise, ce nez long, fin, incongru sur une face si noire… Dans la pénombre de cette pièce, les traits de Adjo me reviennent sous une lumière différente. La face grimée en blanc, elle ressemblerait à n'importe quelle comtesse Arnoult-de-Laménardière ou Milady Pimpterton. Mais son corps est un miracle de proportions sans équivalent en noir ni en blanc.

— Fils de Catheriny, tu as entendu le peuple de Krinjabo t'appeler « Parisien ». Une bouche seule peut mentir. Jamais cent à l'unisson. Tu es là depuis peu et tu sais sur nous bien plus de choses que tous les fiévreux d'Assinie ou les diarrhéiques de Grand-Bassam. Ton voyage parmi nous ne fait que commencer. Il sera très long. Tu ne le feras pas seul, Malan Alloua te le dit.

Elle jette au sol un objet impossible à identifier dans cette mi-obscurité. Adjo se déploie. Son pagne noué court facilite le mouvement des fuseaux de jambes en ombres sur le mur. Elle marmonne d'inaudibles propos au-dessus de l'objet avant de retrouver son siège.

— Adjo Blé t'accompagnera, mais son chemin s'arrêtera à la rivière Tanoé. Tu reviendras ! Parisien revient toujours.

Je revois Adjo Blé assise sur le banc de sable d'Assinie. *Blé* signifie « noir ». Par quel mystère une peau bien plus sombre que celle du commun des Agnys, peut-elle descendre d'une peau blanche ? Et je trouve peu convaincante l'histoire de cet homme blanc gravissant librement les marches d'un autel sacrificiel pour se laisser étêter au nom d'un roi noir. Alloua est une manipulatrice de symboles. La chrétienté en joue bien depuis des siècles. Malan Alloua en a la science. Elle tend la main. Un objet en forme de pyramide y brille et à Krinjabo, tout ce qui brille est de l'or.

— Marcelly…

De la bouche d'une régente agny aussi laide et maligne que le diable, j'entends prononcer pour la première fois le prénom de Treich. L'âne est achevé. Retour au coq.

— Tu nous as dit que tu vas à la recherche de ton frère blanc. Les fétiches sont unanimes : ne reviens pas avec lui. Si tu retrouves cet homme, mets-le à mort. Ensuite, coupe-lui des bouts de tout ce qui dépasse, cheveux, nez, ongles, sexe, et jette-les dans la première rivière qui barrera ton chemin retour. Ainsi, son âme impure ne te hantera pas. Si tu n'as pas cette force, abandonne-le ! Il mourra comme meurent les hommes blancs perdus chez nous, dans les délires de la fièvre et les flaques pestilentielles de diarrhées. Si tu le ramènes à la côte, cet homme te mangera l'âme et tu disparaîtras sans laisser de descendance. À Kong, donne ceci au Mensah. Il se souviendra du pacte. Il agréera tes demandes. La parole est close.

Légende de la première débarquée

« " ÊTES-VOUS SÛRS qu'il existe des femmes blanches ?
— Mon grand-père jure en avoir vu une en Gold Coast.
— Peut-être ne le font-ils qu'entre hommes ?
— Quels genres d'hommes voyagent si loin sans femmes ?
— Pourtant ils fonctionnent normalement avec les nôtres. Ma nièce l'a encore confirmé ce matin à propos du capitaine. "

De telles conversations animaient les Assiniens jusqu'au matin où débarqua Madame Keller. Elle était habillée des pieds à la tête: le choc. Couvrir ainsi une femme! Les imaginaires s'affolèrent en des directions diamétralement opposées. Détournèrent le regard, ceux qui croyaient qu'il fallait être particulièrement laid pour cacher son corps de la sorte. Le renflement devant leurs pagnes trahit les autres qui la rêvaient Mummy Water. Comme beaucoup de pêcheurs assiniens, ceux-là croyaient en la légende selon laquelle existait au fond des mers une race de femmes à la peau blanche, aux longs cheveux ondoyants et aux yeux azur, ce que figurait parfaitement Madame Keller. Mummy Water ou laideron suprême ? Elle fit l'unanimité sur une seule chose: Monsieur Keller. On le jugea rempli de bon sens, de respect et on le remercia d'avoir fait taire les interrogations. On lui proposa même quelques jouvencelles en seconde noce pour aider sa femme dans les lourdes tâches champêtres auxquelles elle allait être confrontée. Le couple s'installa à Élima où, pendant que Monsieur Keller s'occupait de la première plantation de café, Madame Keller ouvrit la première classe d'école, bien longtemps avant les hommes barbus avec leur croix et leurs longs boubous blancs.»

par Louis Anno
Interprète
Assinie

153

CHAPITRE URBAIN
ASSIKASSO

Hygiène règne en maître mot dans le logis agny. Aux aurores, les femmes armées de balais en nervures de palmier strient le sol d'arabesques, à la traque du moindre détritus. Le ballet des tubs matinaux est lancé par le patriarche de la courée. Au sortir de ses commodités, avant de s'enrouler dans le traditionnel pagne anglais, il s'enduit le corps de karité, un beurre végétal. Le noir de sa peau en devient aussi luisant que l'ébène. Je comprends l'origine de l'expression « bois d'ébène » à propos de la marchandise humaine des négriers. Après le bain, toutes les bouches se prolongent d'un appendice ligneux, une tige taillée dans une racine. On s'en cure les ivoires avec une vigueur à édenter le premier paroissien périgourdin. L'émail africain trouve en partie, dans cette pratique quotidienne, l'explication de son éclat.

En général avant le tub du matin, enfants et adultes s'adonnent à une activité commune à l'humanité entière, mais ici pratiquée après un rituel des plus curieux. Une poire rigide, vidée et asséchée, percée à son bout effilé et sur son flanc est emplie d'extraits liquides de plantes écrasées avec des piments. Les mères se saisissent des enfants, leur introduisent le pointu de l'instrument dans l'anus et, par l'orifice externe, soufflent la potion dans leurs entrailles. Une fois libres, il faut voir les minots courir se soulager au premier bosquet. Sans pudeur, les adultes s'adonnent au même manège, femmes entre femmes, hommes entre hommes, avant de s'alléger en des broussailles plus éloignées. Les flatulences s'entendent de très loin en écho. Où la première incommodité gastrique déclenche des cataractes dysentériques chez l'Européen, le transit intestinal agny a besoin d'être motivé de la sorte. Les couples formés pour s'administrer cette version de l'instrument de Molière se marquent une grande confiance. Un poison inoculé par cette voie est d'une violente efficacité. Frères de poire, à la vie à la mort ! Je trouverai d'autres moyens pour exprimer ma confiance.

Les femmes commencent la cuisine avant l'aube. Le soleil ne s'est pas encore arraché de la cime des arbres lorsqu'est servi le premier repas. Dans les foyers polygamiques, chaque épouse en concocte un. Le patriarche est préposé au partage. Il le fait avec le sérieux d'un juge de paix, veillant à des règles d'équité dont lui seul connaît les textes. On mange par classes d'âge et par sexe. L'assiettée est commune, les mains y plongent une à une, en commençant par la plus âgée. Attendre son tour s'apprend là. Il n'y a pire signe de mauvaise éducation que plonger la main dans le plat au mépris de ce protocole.

Les boules de foufou, l'igname pilé, sont formées directement à la main, plongées dans une sauce, avant de faire le voyage vers la bouche sans perdre une goutte. Violé, l'évangile selon Dejan, chapitre 6. Le palais s'habitue vite au feu du piment, surtout quand les bouchées sont accompagnées de goulées de vin de palme. Mes repas sont de moins en moins le spectacle d'adultes et d'enfants attendant que je vire au rouge pour s'esclaffer. Mais toutes les cuisines ne sont pas systématiquement de feu. Le piment africain est une plante sauvage. On n'en trouve pas à toutes saisons. Comme pour le champignon, on garde pour soi les lieux où il pousse.

La fin de la lippée matinale sonne le début des activités de la journée. Les femmes sont les premières à prendre le chemin des champs. Elles soignent des plants cultivés ou en récoltent des sauvages. La présence des hommes n'est indispensable que pour le gros œuvre, défrichage de clairières et levée de buttes pour les ignames. Alors ils prennent leur temps. Sinon, ces messieurs préfèrent se perdre à la chasse, à l'entretien des palmiers pourvoyeurs de vin, ou s'égosiller en discussions, assis à l'ombre des bien nommés arbres à palabre.

La marmaille ingambe, entièrement dénudée, impose son joug sur les cours, les rues et la petite broussaille. Cris stridents, jeux incompréhensibles, courses folles, même aux heures caniculaires, ils finissent recouverts de poussière et de boue. Pour la toilette du soir, ils sont traqués, poursuivis, débusqués de toutes les cachettes. Des lianes épiphytes accrochées aux grands baobabs sont écrasées pour servir d'éponges. Mères ou kangah « captives de case » les enduisent d'un savon noir obtenu par une chimie entre huile rouge de palmiers et cendres grises de bananiers. Elles frottent les enfants jusqu'aux limites du décapage. Ensuite, recommence la procession des adultes au tub. Le soir comme le matin, on utilise de l'eau chaude. Elle régénère les corps et évite de prendre froid. Raison à Dejean. La nuit, les deux ou trois unités que perd le thermomètre suffisent à créer la sensation de gourd. Il n'est pas rare qu'enfants comme adultes claquent des dents alors que la température frise les 30° C. Relativité des sens.

Le second repas de la journée est servi selon les mêmes rites que le matin. Ensuite, pour les enfants, histoires autour du feu par le conteur familial. Pour les adolescents, jeux de séduction sur la grande place ou en des endroits discrets. Pour les adultes, réunions, palabres, conspirations, mysticisme dans les fonds de cours, l'obscur des cases ou les ténèbres des bois. En cas de tam-tam, personne ne dort tant que ne s'étiolent sous les étoiles les notes des derniers musiciens valides.

À Assikasso, on ne risque point sa peau le soir. En concurrence avec beaucoup d'autres insectes, sans compter les prédateurs à leurs trousses, il y a peu de moustiques en forêt. Loin les escadrilles de Grand-Bassam et d'Assinie. Les constructions de nos villes ont créé un déséquilibre dont ont profité les moustiques : nos activités favorisent l'épanouissement de nos plus farouches opposants.

J'ai un hôte officiel. Il s'appelle Boidy, je l'accompagne partout. Ma compréhension de l'Agny et de ses mœurs en font de spectaculaires progrès. Je suis le fétiche blanc de Boidy : un hôte qui apporte honneur et prospérité sur une maison. Rien à voir avec ma couleur de peau pour une fois. Un mage lui aurait annoncé ma venue. J'occupe la case de son défunt père. Dans un coin, une statuette. Une représentation masculine, comme en témoigne un phallus outrageux de proportions. Jambes courtes ramassées sous un trop long tronc projeté vers l'avant, bras courts repliés sur la poitrine, on croit la statuette prête à sauter à la gorge d'assaillants. De la face aplatie saille une bouche lippue entr'ouverte, menaçante de dents en lamelles de bronze. Sur la tête, un récipient porte des ossements, bouts de crânes et phalanges d'illustres ancêtres. Un reliquaire ! « *Promets-moi de prendre le reliquaire. Il porte la voix de nos ancêtres. Les pierres…* » Les derniers mots de Père. Je suis parti sans respecter sa volonté : mes ancêtres, je les ai abandonnés à la Galerette. Et à Assikasso, je dors avec ceux de Boidy. Sur ce bout de bois, il suffit au sculpteur de rudimentaires herminettes et couteaux pour exprimer histoire, symboles, religion. L'artiste, anonyme, ne signe point un ouvrage pour lequel l'Agny considère que les esprits le guident au nom de toute la société. Pareille statuette ne sort qu'à occasions exceptionnelles. Jurer sur elle condamne à respecter sa parole. Ou alors, ce sera tourments permanents jusqu'à la maladie mentale. Pour pousser aux aveux, point besoin de nos arsenaux de torture. Une statuette suffit. Rien n'effraie plus qu'un fétiche ! Une poule pour un outrage, des pagnes pour un adultère, une chèvre pour un vol, un bœuf pour un litige foncier, et surtout, une vie pour une vie. La justice agny n'est pas pénale, elle est compensatoire. Dans un meurtre, le clan du coupable peut être condamné à donner un enfant, une femme ou un homme jeune à la famille de la victime. Le clan paye parce que la culpabilité est collective. Il n'est pas rare de voir « compensation » traverser seulement une rue pour s'installer et mener une vie paisible dans sa nouvelle famille, ignorant l'ancienne. Le concept de prison n'existe pas, alors le mot n'a aucun équivalent agny. Pour les coupables jugés les plus amoraux, le châtiment est post mortem. Lorsqu'ils décèdent, leurs cadavres sont mutilés et jetés sans sépulture dans un bois maudit. Ainsi, la mauvaise âme ne trouvera jamais repos et si par extraordinaire elle se réincarne, on la reconnaîtra à ses stigmates. Une telle idée de la justice implique une capacité de pardon au-dessus de la moyenne chrétienne. Pour un vivant, la peine capitale est l'expulsion du clan, l'exil forcé loin de la famille, loin de la tribu, loin des ancêtres.

Toutes mes observations sur les Agnys d'Assikasso, je les consigne dans un carnet de notes. Le rapport écrit est l'exercice obligatoire du colonial. Treich considère même qu'il est son devoir le plus impérieux. Il se l'impose tous les soirs. «Vois-tu Dabilly, nos existences ici sont tellement fragiles que nous devons concevoir notre présence comme une course de relais. Les carnets de rapports en sont les seuls témoins.» Les semaines passées depuis ma séparation d'avec la horde à l'orée d'Assikasso me semblent des mois.

—

«Dans la brousse, les nouvelles marchent plus vite que le voyageur», dixit Treich. À la remontée vers Assikasso, aucun village n'était surpris de nous voir. En ces terres inconnues, nous étions plus qu'attendus. L'homme est un animal qui se nourrit du curieux. De plus loin vient l'étranger, mieux il est accueilli. On lui fait la fête quand on ignore le passage du voisin d'à côté. À Yakassé, après une orgie d'escargots géants et de crevettes colosses, nous avons abandonné un Dreyfus hystérique à la vue d'un champ de trous profonds d'une dizaine de mètres en moyenne. «Quand on creuse autant, c'est qu'on ne cherche plus, on a trouvé…» À Bettié, Bénié Kwamin, que nous croyions hostile, nous a réservé un sabbat des plus remarquables avant de signer le traité.

Article 1er – Le roi du Bettié déclare placer son pays sous le protectorat de la France.

Article 2 – Le commerce se fera librement dans le pays de Bettié avec les Français seuls. Le roi du Bettié tiendra ouvertes les routes entre son pays et tous les établissements français.

En deux phrases et une croix, à nous le pays. Huit articles lus à haute voix devant le chef et sa cour. Le dernier, déclamé juste avant signature, réglait indemnités et compensations personnelles du chef… À Attakrou, fier qu'une caravane avec deux blancs le visite, le chef a immolé un régiment de chèvres. À ce point, juste avant la traversée de la Tanoé, Adjo a fait demi-tour. Depuis Krinjabo, elle ne m'avait pas adressé un mot mais le seul discours de ses yeux était éloquent. Je n'ai rien laissé paraître de mon déchirement… À Allangouanou, le chef Édoukou, cinquante centimètres de barbe tressée au menton, exigeait un fils de blanc dans sa descendance. «Il est préférable d'avoir un morceau de viande dans toutes les sauces du village. On ne sait pas de quoi demain sera fait.» Il a proposé sa nièce en mariage à Treich. Refus poli. Édoukou s'est rabattu sur moi, me tendant littéralement la main de l'adolescente apeurée. Refus catégorique. Anno m'a rassuré sur le fait que cela ne vexerait point Adjo, que je ne serais pas obligé de les honorer en même temps sur la même couche, que les deux filles formeraient un beau ménage car elles sont cousines. Refus outré. J'en fus quitte pour un rire complice entre Anno et le chef.

On rit souvent à nos dépens. Lors de nos explorations, nous sommes nous-mêmes objets d'exploration. Dans les villages, chaque fois que je pars assouvir mes besoins naturels, je suis accompagné d'une nuée de curieux. Aucun fourré n'est intime lorsqu'enfants comme adultes veulent savoir comment nous les faisons, quelle couleur et quelle odeur ils ont. Il y a beaucoup de déçus… À Amélékia, Kassi Dihiè ne voulait pas de notre présence. Il préférait les Anglais qui ont soumis le pays ashanty. Pourtant, il est tombé avec émotion dans les bras de Treich, qu'il a accompagné une partie de sa tournée précédente.

— Tu es mon ami et ma case est ta case. Mais ce que je vois poindre dépasse nos deux personnes. Cela concerne nos deux peuples. Les Ashantys, nos suzerains, ont été vaincus par les Inglissy. Nous ne pouvons avoir d'autres maîtres que les maîtres de nos maîtres. Tu peux rester autant de nuits qu'il faut pour me convaincre du contraire.

Même si Kassi Dihiè n'a pas mis de croix sur le parchemin, il nous a organisé une fête aussi mémorable que celle d'Attakrou… Partout, la seule personnalité de Treich disposait notre voyage sous les meilleurs auspices. Même la nature nous a été clémente, et les pluies rares. Une fois, alors que nous traversions une rivière à gué, un crocodile saisit le bras d'un des porteurs. Les autres essayent de le repousser à coups de bâton. Un d'entre eux le tire même par la queue. Le saurien finit par lâcher prise sous le feu du tirailleur Coumba. Malgré son membre ensanglanté, la victime devint l'objet de raillerie de ses collègues imitant ses ébats dans l'eau. Cette théâtralité naïve, ces rires sans retenue sont contagieux. Le rescapé de la mâchoire obtint sa revanche lorsque je le badigeonnai de teinture d'iode et lui posai un bandage immaculé sur les plus grosses plaies. Cet incident fut le seul accroc jusqu'à Assikasso.

—

ASSIKASSO. Latitude 7°5′12″ selon Dejean, pays de l'or selon Dreyfus, capitale du caoutchouc naturel selon Fourcade, porte du Bondoukou selon Treich. Mon poste. Dans le possessif, point de vanité. Pointe d'orgueil, à peine. Appelé à bâtir seul, dans l'adversité, loin de tout, on s'approprie les choses. Mon poste, mon boy, mon interprète, mes Sénégalais, mes porteurs, mes terres… L'esprit du colonial se construit dans la possession. Ne pas se laisser griser. Comme Treich, sous-estimer volontairement ces actions officielles dont nous ne sommes que le jouet à l'échelle de l'Histoire. Le principe de notre établissement à Assikasso est le fruit d'un traité signé avec les chefs du pays d'Indényé lors du voyage antérieur de Treich. Nous obtenons de nous établir à la sortie du bourg, au sommet d'une colline surplombant la piste des caravanes de colporteurs descendant du Bondoukou. S'établir en hauteur n'est pas seulement une évidence stratégique et symbolique ; l'altitude relative préserve des miasmes délétères. Les vents ont raison de l'infection. Partout où le permet la topographie, nos postes se construisent sur un plateau.

Cette question réglée, la horde Treich a continué son voyage. Passation de drapeau sous une salve de quatre coups tirés par quinze Chassepot, nos adieux à la caravane revêtent un solennel d'un grand effet. Je reste avec Coumba, Soumaré, et Sall, tirailleurs sénégalais ; Sokhna, Amar, Camara, et Kady, compagnes des dits tirailleurs ; Mamadou et Petit Malamine, progéniture braillante en permanence accrochée l'un à la croupe de Sokhna, l'autre à celle d'Amar, si ce n'est l'inverse ; Angaman-Kouadio, dit Capitaine-et-veinard, interprète ; Kassy Ntiman, boy cuisinier d'une quinzaine d'années, cinglé que je ne le baptise pas d'un prénom français.

Yafoun depuis son campement de Yafounkro, Éhiwa depuis sa banlieue d'Agny-Bilékro, sont rois d'Assikasso. Non qu'ils se disputent le pouvoir, mais ils gouvernent tous les deux. Pour sa force et sa brutalité, Yafoun est craint de tous, y compris de son alter ego. Pour sa sagesse et son intelligence, Éhiwa est respecté de tous, y compris de son alter ego. Toute cause est d'avance perdue si elle ne s'exprime que par la bouche d'un seul. Éhiwa a trop peur des colères de Yafoun. Yafoun a trop peur d'un coup fourré d'Éhiwa. Seuls les athlètes de la rhétorique savent comment sauter les frontales de Yafoun sans tomber dans le sibyllin d'Éhiwa. Les palabres s'étirent à désespérer les plus patients. Les quatre mille habitants du bourg vivent à l'image de la dualité gouvernante. Une communauté venue de l'Apolonie en Gold Coast exerce sur une partie de la population une influence anglaise qu'incarne Yafoun. L'autre penche pour le drapeau tricolore venté au-dessus de la case de Éhiwa. La ville abrite aussi un regroupement de Mandés-Dyoulas. Ils se sont déplacés du Djimini, du Damalla, du Kong, du Bondoukou, autant pour exercer leur commerce de colporteurs sur les marchés que pour fuir l'expansion territoriale d'un conquérant noir nommé Samory. Il y a même un carré de cases kroumen, si loin des premières écumes de l'Atlantique. Composite de peuples d'horizons éparpillés, Assikasso n'est pas un simple rassemblement de naturels du pays agny. C'est une ville véritable, la première que je connais, dont l'urbanité n'est pas de notre fait. J'y déambule en chaussures de ville, évangile selon saint Dejean. Les chaussures sont l'accessoire vestimentaire qui attire le plus la curiosité. Les autochtones vont jusqu'à la génuflexion pour vérifier qu'elles ne sont pas un prolongement singulier de notre anatomie.

Il faut environ trois semaines de travaux pour bâtir la concession de France. Une case à double fonction de logement personnel et administratif ; une autre pour les Sénégalais et leurs familles, en guise de bureau des armées ; une dernière case pour la réception des caravanes, notre ministère du Commerce. Les trois maisonnées forment un triangle isocèle de quarante pas de côté. En son centre, un mât où flottera notre drapeau. À l'étonnement général, je participe activement aux travaux. Un homme blanc ne travaille pas, surtout sous le soleil. Il fait travailler. À rougir au moindre effort, je suis la risée des ouvriers agnys et mandésdyoulas. Les premiers, animistes, sont payés en caisses de gin, les seconds, mahométans, en étoffes et têtes de tabac. Attendant que s'achève mon Versailles, mon logement provisoire prend des allures d'affaire d'État. Les deux royautés me veulent et dans chacune d'elle, plusieurs notables se disputent mon accueil. En présence des souverains, une nuit entière de palabres est nécessaire pour résoudre la question. Boidy Akou, notable de Yafoun, l'emporte. Il réside à équidistance entre Yafounkro, le quartier Yafoun, et Agny-Bilékro, le faubourg Éhiwa. Il est propriétaire d'une concession de sept cases formant demi-cercle autour d'une cour commune. Se les partagent trois épouses, un régiment d'enfants, une colonne de neveux et nièces, une escouade de kangah « captifs de case », quatre moutons, sept chèvres, un bouc puant auteur d'affreux cris de rut, et une tripotée de gallinacés auquel il faut maintenant ajouter un homme blanc.

—

Mon Versailles achevé, je ne peux quitter « mes parents » sans une fête digne de mon rang. Boidy aussi veut marquer le départ de son « fétiche blanc ». La qualité de la réception faisant le prestige de l'hôte, il immole la moitié du cheptel de chèvres. Le vieux bouc n'aura plus que trois femelles pour contenter sa libido bruyante. Un grand nombre de poules et de coqs complètent le carnage. Le voisinage pourvoit en jarres de vin de palme. J'offre un rouleau de percale et deux caisses de Royal Stork Gin. Les bouteilles vert foncé, plus larges au collet qu'à la base, sont des parallélépipèdes étranges. L'étiquette prétend que les deux litres d'alcool à 40 degrés sont produits à Delftshaven près de Rotterdam. Sur une autre face, six pièces argentées dessinées, en réalité trois médailles recto verso témoignant que le breuvage a conquis les palais de trois jurys internationaux : Prize Gold Medal London, Exposition Universelle Paris, Exposition de l'industrie néerlandaise. *Den-Den*, « Médailles », est le surnom local de ce gin. Ancêtres, génies, sorciers, fétiches, et tout Agny en âge de tenir sur les deux jambes, sont du même avis que les augustes jurés. De coutume, le don d'une seule de ces bouteilles déclenche danses et expressions de joie. Que dire de deux caisses ? Leur apparition provoque l'acclamée la plus bruyante jamais entendue en dessous du tropique du Cancer. Le tam-tam est lancé.

Dans le cercle, danseurs et danseuses enchaînent les pyrrhiques. Le rythme répétitif envoûte. Pas vraiment les quatre temps de nos chansons populaires ni les trois temps des valses de nos bals. À la première oreille, l'ardeur des batteurs donne l'impression d'un fouillis sans règles. Plus attentif, on entend les quatre temps se glisser sous les trois. Pour former une boucle, ils ont rendez-vous au douzième. Bach utilise le subterfuge sur de petites séquences, les Agnys toute la nuit. Une voix lance un solo auquel répond en chœur l'assemblée : la structure des chants est primitive, mais enrichie de la participation de tout le cercle. Les harmonies sont multiples. De partout et sans se faire concurrence, des solos s'envolent. Attendre son tour s'apprend à la descente du sein maternel, dès le premier repas collectif. Je compte les temps à la dérobée. Je suis le seul à le faire pour savoir quand rentrent les chorus. Les tambours changent régulièrement de mains sans trahir les dextérités. « Art » n'existe dans aucun lexique agny. Chacun est créateur et observateur, acteur et public. Orchestre total. Avec les tours de chant et des *Den-Den*, la nuit s'enfièvre.

Une beauté capiteuse en action me tire de mon siège. À cette invitation vigoureuse, je réponds à ma mesure. J'ignore ce que font mes jambes, ma tête pense à Adjo. Dans ces cercles, elle doit savoir mouvoir sa grâce en toute amplitude. Mes inhibitions s'évanouissent dans la nuit arrosée de gin, de rythmes et de vin de palme. Sous mes yeux, les seins de ma cavalière s'agitent en phases harmoniques exerçant sur moi l'effet d'un pendule d'hypnotiseur. Elle s'approche, s'éloigne, tourne, virevolte. Son pagne prend la tangente d'une pirouette. Elle le rattrape dans les airs, le brandit d'une main qui n'a pas l'intention immédiate de le remettre à sa place. La foule exulte. La danseuse n'est pas totalement nue : son Queen Victoria tient le dernier triangle de sa pudeur. Avec son pagne volant, elle m'essuie la coulée de sueur sur le visage avant de le renouer à sa croupe, sans perdre le rythme. Foule hystérique. Boidy pénètre le cercle. Trois petits pas avant, deux petits arrière, corps penché, cou tendu, bras ouverts comme pour se rattraper d'une chute, Boidy avance en grâce et en cadence vers mes entrechats convulsionnaires, ma trémulation chaotique. Son «fétiche blanc» danse. Lui, Boidy, par sa générosité, par sa noblesse, par son importance, fait danser l'homme blanc jusqu'à la transe devant la case de ses ancêtres. Il lève mon bras. Les cris redoublent. Le cercle se change en pandémonium.

La griserie générale n'est pas achevée quand j'entends s'égosiller un coq. Mais un coq qui chante «As-tu vu Bismarck?», avec un timbre qui porte au-dessus d'un tel vacarme n'est pas inventorié, même dans le bestiaire d'avant la genèse. Diablerie ! À la fin de soirées d'immatriculation avec les Alsaciens de

Châteauneuf, il se trouve toujours quelqu'un pour lancer un «As-tu vu Bismarck?» Chacun à son tour improvise une réponse. À la fin du couplet, «Bismarck est fichu» et reçoit quelque chose «dans le trou du cul». À Assikasso, personne n'a de raison d'en vouloir au chancelier de fer, encore moins les coqs. Alors d'où vient cet air? Brusquement, tam-tams, chanteurs, danseurs, bavards, buveurs s'arrêtent. Tous ont entendu l'incongru. À la faveur du silence retrouvé, j'identifie l'instrument. Le cercle s'ouvre. Soumaré le pénètre, étendard tricolore dressé depuis l'entrejambe. Derrière lui, Coumba, les joues dilatées autour de l'embout d'un clairon. À ses côtés, Sall, suivi de douze miliciens fraîchement recrutés parmi les Djimini. Ils marchent au pas, Chassepot à l'épaule. Par un réflexe que je ne me connais pas, je me redresse et exécute un salut militaire sûrement critiquable. La troupe marque devant moi un arrêt avant de faire demi-tour. La République appelle, il est temps de rejoindre ma colline. Je complète le défilé d'un pas de l'oie ivre de rythmes et d'alcool. Vivats agnys. Dans la cavalerie, «As-tu vu Bismarck» est l'air de la marche de retraite.

—

Mardi et jeudi, jours de marché à Assikasso, mes deux tirailleurs, mon porte-drapeau et moi défilons au pas entre les étals. Une idée de Coumba pour impressionner les négociants apoloniens, tempérer leur inimitié tout en attirant l'attention sur les articles français. On se bouscule pour nous laisser passer. Mais tout de suite derrière, la trouée se referme. Comme si jamais nous n'avions fait irruption dans le marché. Le négoce continue, rien ne l'arrête. Le commerce est la clé de ce mouvement historique.

Sur le marché, je comprends que pas un seul Anglais ne tire d'obscures ficelles pour affaiblir notre influence en ces lieux. En réalité, nos articles commerciaux sont devenus autonomes depuis longtemps. Par les mains de ceux qui les fournissent, ils assurent eux-mêmes la conquête coloniale et la bataille entre puissances européennes. Les articles sont les coloniaux premiers. Depuis des siècles, sans notre aide, loin devant nos explorateurs les plus hardis, ils se sont introduits dans l'Afrique des terres, des hommes et des esprits. Réappropriés, réinterprétés au point de parfois donner l'impression d'être l'émanation du génie africain, nombre d'entre eux sont devenus objets traditionnels. Un roi est nu sans parasol à franges ; les esprits sont muets sans gin ; aiguilles et clous décuplent la puissance des fétiches ; élégant sans talc est inconvenant ; coquette sans pagne, indigente ; richesse sans chapeau melon, misère ; dot de mariage sans sel, hérésie ; même si elle provoque des centaines de morts, guerre sans fusils n'est que rixe ; et que dire de la poudre qui redessine les territoires depuis des siècles. Les articles sont des coloniaux efficaces. Jamais diarrhée ou fièvre bilieuse ne saisit pelote de fil à tresser ; aucune folie ne guette savon de cade ou dame-jeanne d'eau-de-vie ; pas de blessés ou d'embuscade meurtrière dans la bataille rhum versus vin… Les articles sont des coloniaux impérissables. Nous ne sommes là que pour les croix sur les papiers et la présence effective.

Nos premiers échanges commerciaux se sont faits sur la plage. Nouveauté, variété, étrangeté, clinquant, profusion des formes et des couleurs… Dans le terne vert de la végétation, le morne gris des ciels, le morose de la topographie, les articles détonnent et plaisent tout de suite. En échange, les Africains procurent des choses que la nature pourvoit en abondance, faciles à la récolte et au transport. Des choses sans valeur que l'on appelle « produits ». L'ivoire, par exemple, se ramasse simplement dans les cimetières d'éléphants. Quand exceptionnellement on abat un pachyderme, on se délecte de sa viande, sa queue est transformée en chasse-mouches de prestige, on tresse ses poils en bracelets tellement solides qu'ils se transmettent de génération en génération, mais les ivoires… En échangeant défense d'éléphant contre verroterie et tissus de couleurs, le piroguier apolonien pense le marin hollandais idiot, qui de son côté est convaincu de traiter avec un crétin sans nom. Marché de double dupe. La valeur est relative, l'appât du gain universel. Avec le temps, la liste d'articles et de produits s'allonge. La surenchère est réciproque. On échange même du « bois d'ébène » ! Peu à peu, la relativité des valeurs s'efface. Une échelle l'emporte, celle de ceux qui livrent et enlèvent. Depuis les Romains de Père ou les Huns d'Attila, la civilisation qui s'impose est celle en mouvement. Aujourd'hui, Anglais et Français poursuivent les produits de plus en plus loin dans les terres. Eux-mêmes y déposent les articles. La myriade d'intermédiaires va disparaître. La balance des valeurs va encore plus pencher en notre faveur. Inéluctable.

— Nous avons signé le papier de Treissy le blanc calme. La sagesse et la tempérance sont bonnes gouvernantes. Si l'Anglais Wossily, le pillard fou, nous le demande, nous signerons aussi.

La force et la terreur sont bonnes gouvernantes. Votre papier ne compte pas. La parole seule compte et nous la donnerons à celui qui nous fera les meilleurs propositions. Sinon, Franssy ou Inglissy, entendez-vous avant de venir nous voir. Ton drapeau, tu peux le faire flotter où tu veux sur ta colline, mais pas sur la place du village.

Boidy conclut le palabre que déclenche ma demande au conseil. Cela prend évidement une nuit entière pour arriver à une telle décision. Boidy est à la fois espion de mes quêtes et émissaire de mes requêtes. Les Agnys d'Assikasso sont fins d'avoir logé un hôte stratégique comme moi chez un notable malin comme Boidy. Mais leur vue de la situation coloniale est dépassée. Pour nous, seul compte le parchemin, la parole n'a pas de valeur. Une règle des plus simples évite toute querelle entre Européens. Depuis Berlin, Traité + Présence effective = Colonie. La croix sur le papier de Treich doublée de ma présence scelle le sort de leur pays. Avec ou sans mon drapeau sur la place du village, ils sont déjà Français. Hélas, pas encore le Bondoukou, notre préoccupation.

Jouant l'hésitation entre Français et Anglais, le conseil divise pour mieux régner. Les Apoloniens ont sûrement fait courir aux oreilles britanniques de Koomassee : «*Frenchman in Assikasso. Another to reach Bondoukou!*» La contre-attaque anglaise est forcément en route. Mais, nous ou eux là-bas, ne triomphera qu'une seule et même civilisation. Au conseil Yafoun-Éhiwa, personne ne le comprend encore. Pas même Boidy.

CHAPITRE APIS ET PUPITRES
ASSIKASSO EPP 1 ET 2

Dans la grande cour sous le ciel entier, en face de l'EPP Assikasso 2, il y a l'EPP Assikasso 1. Un bâtiment de six classes aussi. Le drapeau national qui pousse sur le mât trace une frontière invisible entre les deux. À la récréation, pour une raison que je ne connais pas encore, traverser la frontière provoque la colère des têtes élevées d'en face. Il paraît que ce sont des ennemis. Je ne sais même pas reconnaître les têtes amies, comment reconnaître les autres ? Toutes les têtes garçons sont noires avec les crêpes, le short et la chemise belge. Les têtes filles ne font pas plus d'efforts avec leurs cheveux unanimes attachés en rangs de tresses du front à la nuque. Maman a parfois les mêmes et j'aime cette coiffure, mais elle ne veut jamais me la faire. Elle me dit que ce n'est pas possible à cause de la rouille qui a enlevé les crêpes sur ma tête quand je suis né. Je comprends que la coiffure est réservée aux filles. Dans la cour de la récréation, il y a beaucoup d'oiseaux dans les arbres et dans le ciel. Pas seulement les pigeons uniques de *Oude Kerk* qui vont plus souvent à l'église que les hommes. Mais toutes les espèces, les couleurs, les tailles, les chansons. Les grands volent si haut que je crois qu'on les a dessinés dans le ciel. Les petits volent si bas que je crois qu'on peut les attraper. Une escadrille jaune-noir passe à ras le sol. Je la poursuis des yeux et des pieds. Je ne vois pas le croc de la jambe sur mon chemin. Quand je me relève de la poussière mordue, un garçon est devant moi. Au jugement de mes yeux, il a une tête d'avance sur Marko-le-jaloux. Il me rit une dent cassée devant sa bouche. Il fait le méchant. Il ne sait pas qu'il a affaire à un champion de la lutte des classes.

— Qu'est-ce que le bébé hollandais fait loin des jupes de sa maman?

Qu'est-ce qu'ils veulent tous à Maman qui n'est qu'une putain de socialiste, ne vend pas de bisous et ne porte jamais de jupes? Un Marko-le-jaloux avec des crêpes dures sur la tête. Le tirage de cheveux ne va pas être facile. Je choisis l'oreille tellement vite et fort que je crois qu'elle est restée dans ma main. Les élèves autour aussi. Mais, plus que les cheveux, les oreilles tiennent à la tête. Directeurs, maîtres, maîtresses et toute la grande cour sous le ciel entier ont entendu le cri de l'oreille du garçon. Comme chaque fois, mon dos trouve la terre. Essayer de nous séparer de force augmente le volume du cri du garçon. Geneviève hurle «Anouman!», mon prénom de Maman. Je l'entends pour la première fois depuis qu'elle est partie au paradis socialiste du camarade Hodja. J'ouvre la main, elle relâche l'oreille. Dans cette colonie infernale d'Afrique, dos dans la poussière, un garçon géant qui fait le gigot au-dessus de moi, je me dis que la lutte des classes est internationale. Marx et son ange, ils ont raison. «Prolétaires de tous les pays, unissez-vous!»

Deuxième arrestation sous la photo de *Son Excellence Monsieur le Président de la République*. Costume clair, cravate sombre, regard de contremaître vendu au patronat, le féodal anachronique bourgeois réactionnaire a l'air plus vieux dans le cadre photo au-dessus du bureau du directeur. Tête de versailleurs! Camarade Papa l'aurait bien pendulé vivant au petit matin du grand soir. Geneviève et le directeur sont dans un autre débat. L'éducation et la culture, la culture de l'éducation, l'éducation à la culture, la culture dans l'éducation... Je ne comprends rien de leur langue de français quand ils parlent comme ça. Par contre, je sais comment les classer dans mes tiroirs de Camarade Papa. Le directeur parle au passé, il regrette un temps où il n'y avait pas de télévisions dans les classes. Geneviève parle au futur, elle espère un temps où il y aura des télévisions dans toutes les classes. Le directeur est rétrograde. Geneviève est progressiste. La discussion retombe sur mes pieds.

— C'est de ma faute, j'aurais dû le préparer et lui dire qu'on ne se battait jamais à l'école.

— Geneviève, les chocs culturels, il n'y a que ça ici. Chaque rentrée, des dizaines d'enfants débarquent des campements avec trois mots de français en poche et deux notions vagues de ce qu'ils vont trouver.

— Amsterdam, c'est quand même bien plus loin et ce n'est pas tout à fait un campement...

— Mais comme n'importe quel enfant des campagnes, il vient d'une culture et d'une langue étrangères au français. S'ils devaient tous se bagarrer à cause du choc culturel, la cour de récréation serait le Katanga...

— Le Katanga, camarade directeur ? C'est à l'est du Congo, la région d'Afrique la plus vendue au grand capital, un repère de la CIA, d'agents assassineurs et de grands fermenteurs de coudes d'État. Le complot international qui a raccourci la lutte d'indépendance du Congo Léopold en tuant le vendeur de bière Lumumba, c'est eux.

Geneviève, le directeur et son Excellence Monsieur le Président de la République, tous sont muets quelques instants. Je détonne souvent les gens, mais eux sont plus détonnés que d'habitude.

— Qu'est ce que je disais ? Ce n'est définitivement pas culturel. C'est un problème d'éducation. On connaît tous son père, une figure de l'opposition dont le nom est cité dans une tentative de coup d'État. Il faut désintoxiquer cet enfant sinon on va s'attirer des ennuis. Dé-fi-ni-ti-ve-ment.

—

La Diablesse porte une queue sur une tenue de bisous fabriquée dans la peau d'une vache noire. Au retour de l'école, mon passage devant sa vitrine est comme la carte du parti : obligatoire. Je montre les dents, elle tire la langue. On fait ça depuis que j'ai les dents de lait et elle, la langue de pute. Après la Diablesse, juste avant les Mary Poppins et les Shéhérazade, se trouve la vitrine des vitrines. Une télévision dans une vitrine, c'est la palissade : la télévision est déjà la vitrine du grand capital aveugle et apatride. La propagande capitaliste y trouve l'arme fatale. Elle achète la conscience des ouvriers avec la publicité des produits qu'ils fabriquent à l'usine. L'ouvrier est exploité deux fois : à la fabrique et à l'achat. Camarade Papa est encore plus dur avec la télévision qu'avec les églises remplies d'opium. Nous devons vite l'arracher aux mains de la bourgeoisie afin de la transformer en instrument d'éducation populaire. Je suis interdit de télévision en attendant ce jour. Dans la vitrine des vitrines, il est écrit Philips sur presque tous les postes. Ces bourgeois collabos ne vendent pas que de la lumière fixe sur les plafonds, ils vendent aussi la lumière animée en boîte. Je passe toujours à la même heure parce que l'école finit à la même heure et le chemin est le même chemin. Comme avec les vendeuses de bisous, on regarde à la vitrine et on choisit à l'intérieur. Sur les écrans, une femme coupée parle mais elle est muette. La femme coupée en boîte raconte des choses sur des gens du monde entier. Des noms de pays à catastrophes ou à guerres glissent sur une bande posée sur ses bonbons pour messieurs. Afrique du Sud, Israël, Nicaragua, Liban et Palestine aiment ça. Je vais faire une belle pendule publique si Camarade Papa me surprend interdit devant la vitrine des vitrines. Heureusement, à part la Diablesse et les écrans allumés, personne ne me voit trahir la lutte. À l'EPP Assikasso 2, je suis entièrement légal devant la télévision. Sur les boîtes, il est écrit Thomson. Je ne le connais pas.

Thomson m'apprend beaucoup de choses nouvelles. Un Mala est une main avec trois doigts. Un Tipo est un Mala avec des angles. Un Luna a une forme de haricot. Ces nouvelles figures géométriques sont dessinées dans toutes les manières : unies, rayées, à pois, trouées. Mala uni, Luna à pois, Tipo à pois troué… Awata-le-sorcier est un homme avec une tignasse si

MALA UNI

LUNA

TIPO

grande qu'il peut y cacher tous les secrets de cet univers créé après un gros pet qui a fait un big bang. On connaît les lois de la mécanique, mais on cherche toujours le nom du péteur d'étoiles… Séa fait de beaux voyages pour qu'on découvre le monde sans bouger de nos bancs… Maloko dort tellement profondément qu'un serpent peut l'avaler tout entier pour nous expliquer comment se digère la nourriture dans un long tube… Yao est Toto logique comme enfant. Ces bêtises nous font comprendre les compléments de tous les objets et les adjectifs de tous les qualificatifs. Yao fait rire la classe chaque fois qu'il monte sur l'ananassier, l'arbre à ananas… Mikip est le contraire de Yao. Il sait danser, faire le théâtre, dessiner des étoiles du péteur, des toiles des maîtres et plein de choses qui écarquillent les yeux de toutes les têtes élevées, même ceux du maître… Joe-le-petit-boum-boum est un garçon qu'une abeille magique a piqué. Devenu tellement petit qu'il peut faire du cheval volant à dos d'abeille, il vit des aventures extraordinaires dans la ruche et les prés autour. Les apis lui ont construit une maison hexagonale avec des murs en propolis et du miel dans les robinets. La reine des abeilles est amoureuse de Joe. Mais pour peupler la ruche, elle s'envole en l'air avec des faux-bourdons et fait plein d'enfants. La guerre contre les guêpes remue d'excitation la classe populaire. Joe est héroïque en général des armées abeilles. Son alliance avec les vrais bourdons met les guêpes en des routes dard-dard. Il y a le combat final entre Joe et Taurus, le chef des guêpes. La reine des abeilles est encore plus amoureuse de Joe lorsqu'il gagne, mais elle ne peut pas s'empêcher de s'envoler en l'air et de faire des enfants… Malas,

Tipos, Lunas, Awata, Séa, Maloko, Yao, Mikip, Joe et beaucoup d'autres, sont dans la télévision de la classe populaire. Aucune lessive, pas de boissons qui gazent, aucune catastrophe ni guerre sur les bonbons pour messieurs d'une femme coupée en boîte. Dans chaque classe du pays entier, tous les jours, à la même heure, le même programme d'éducation populaire pour tous. Camarade Papa serait content. Ici, la télévision est révolutionnaire.

Tous les matins, il y a la braille. Dans le sens nom prénom, le maître crie la liste des têtes élevées. Le présent se lève et répond fort : « Présent ! » Quand le présent est absent, on répond encore plus fort. La classe crie comme un homme seul : « Absent ! » Les élèves rient beaucoup de mes prénoms pendant la braille. Je ne comprends pas pourquoi l'Alexandre d'un monde féodal se rit d'un Shaoshan, deuxième prénom du grand Timonier. Pierre ou Jacques de la Palestine du temps de la fabrication de l'opium du peuple ne vaut rien devant Illitch ou Davidovitch du glorieux Octobre rouge. Je suis très fier pendant la braille parce que le maître prononce bien tous mes prénoms de Camarade Papa. À *De Wallen*, on ne m'appelle jamais comme cela. Sûrement la peur des figures révolutionnaires. On est quand même en plein Patient Zero. Là-bas, je suis juste Anouman, l'homme oiseau, mon prénom de Maman.

Après la braille, la cérémonie d'ouverture. Une petite porte emprisonne le bouton d'allumage de Thomson. Avant de sortir de sa poche la clé du tiroir de son bureau où il y a la clé de la télévision, le maître retourne lentement son poignet, repousse la manche longue de sa chemise de pagne multicolore, regarde sa montre. Pour la forme parce que les têtes élevées, comme Awata-le-sorcier, savent que la prochaine phrase du maître commencera par « 8 h 17, nous passons à l'auxiliaire télévisuel. Aujourd'hui… » Thomson est allumé sous le feu des regards. La classe populaire télévisuelle est captivante. Je ne dors jamais, même quand, trop occupé à noter dans les livres d'Émile et Geneviève, je veille toute la nuit. D'ailleurs personne ne dort en classe populaire télévisée. Au contraire. Les têtes sont bien élevées jusqu'à ce que Mikip se rappelle.

— Oh la la ! Je n'ai pas vu le temps passer. C'est l'heure de la récréation…

La classe populaire continue avec lui comme un homme seul : « À tout à l'heure les enfants ! »

Quand on fait crier un ennemi sous le ciel entier de la cour de récréation, on est héros de l'EPP Assikasso. On est surtout héros de Yafoun Aléki, ma voisine de la classe populaire télévisée. « Tu es très courageux ». Elle m'écrit sur son cahier une phrase de la bouche de Yolanda avec les mêmes lettres rondes que Maman dans le livre de Kim Il Sung. J'attrape la larme à l'œil. Elle est seule à la voir, l'avantage d'être assis devant. À la récréation de Mikip, je n'ai plus la frontière invisible du mât avec le drapeau qui pousse dessus. Je cours partout. Les autres têtes élevées aussi. Conséquence de la lutte internationale des classes contre Éhiwa Jean, le garçon de l'oreille.

Dans son bureau avec Geneviève, le directeur exige : « Plus de bagarre et surtout, absolument plus de discours révolutionnaires.» Il fait la bouche ronde quand je lui réponds que je ne peux pas accepter cela, pas sans obtenir quelque chose en échange. Un directeur est un patron du savoir. Un élève est un ouvrier du savoir. Et un ouvrier ne doit jamais accepter le diktat du patronat. Une négociation syndicale s'impose. Je m'assois.

— Au bon vieux temps, personne n'osait lever la tête devant un instituteur, à plus forte raison répondre à un directeur. Ces enfants ont besoin d'autorité! Nous ne sommes plus au centre de l'enseignement. Simple décoration, réduits à écouter des voix niaises crier Bravo à la moindre réponse juste. Et puis cette insupportable histoire d'«ananassier» qu'on ne peut pas corriger avant l'année prochaine… Toute la terre sait qu'un ananas est une herbe, sauf mesdames et messieurs les grands gourous du programme d'éducation télévisuel. Nous sommes la risée des enfants. Je te dis qu'il faut arrêter ce… ce… truc avant qu'il ne soit trop tard. Même symboliquement, nous sommes rabaissés. Avant, le pupitre de l'enseignant était posé sur l'estrade, il dominait toute la classe. Maintenant, il y a la télévision au-dessus de lui. Ça les rend insolents, impertinents et agressifs.

— Mais cet enfant n'a jamais eu de télévision à l'école. De quoi tu parles?

— C'est un blanc! Comme les ingénieurs et les assistants technique de la télévision. Et ils mettent une éducation de blanc dans ces maudites boîtes. Tu y ajoutes le père qu'il a…

Geneviève ne dit plus rien au directeur. Elle me regarde. Ses yeux rient lorsque je croise les jambes et que j'interpelle: «Motion camarade directeur…» Je ne sais plus combien de temps dure le parlement, mais j'obtiens une victoire et demie.

J'ai le droit de courir sans frontière sous le ciel entier de la cour de récréation et je peux appeler les adultes «camarade monsieur». En contre et partie, je jure sur la tête du camarade Mao de ne plus ni me battre ni faire une seule allusion à la révolution sous le ciel entier de la cour de récréation.

Yafoun Aléki me suit partout. Elle me parle beaucoup, je lui réponds peu à cause de ma langue de français bonne que pour la révolution. Je ne veux pas violer l'accord syndical avec le camarade-monsieur-le-directeur. Lorsque nous croisons Éhiwa Jean et sa bande d'ensemble, Yafoun Aléki se met les mains sur ses deux oreilles. Des dents se cachent pour rire. Rien d'autre. Personne ne me croque les jambes. Éhiwa Jean et sa bande d'ensemble s'en vont aux manguiers. Yafoun Aléki me dit que c'est une révolution dans la cour. Je crois qu'elle me tente le diable.

Je continue jusque devant le bâtiment des EPP Assikasso 1, sous le cocotier de mes oiseaux jaunes-noirs préférés. Ils ont transformé l'arbre en chantier de travail du peuple souverain. Pas de patrons, pas de chef, tout le monde est ouvrier. Fil après fil, les feuilles sont déshabillées pour construire sur les branches des nids de la même taille et de la même forme pour tous. Pas besoin de parler révolution dans la cour de récréation, il suffit juste d'élever la tête dans les arbres.

— Merci.

— Pourquoi?

— C'est la première fois que j'arrive jusqu'ici pendant la récréation.

— Pourquoi?

— Parce que chacun reste chez lui.

— Qui?

— Chaque école reste sur son territoire.

— Quel territoire?

— Holà! Tu viens à peine d'arriver et tu joues déjà les Mikip avec toutes tes questions là.

— Comment ça?

— Laisse tomber... Les groupes, les territoires, c'est comme ça depuis le premier épisode de Joe-le-petit-boum-boum.

On ne peut jamais parler doucement sous un arbre à jaunes-noirs. À cause de l'égalité des classes, ces oiseaux se crient tout le temps les uns sur les autres. Et ils sont des centaines sur le cocotier. Yafoun Aléki explique fort. Les EPP Assikasso 1 sont les guêpes, Jean Éhiwa est Taurus leur chef. La ruche des abeilles, c'est nous les Assikasso 2. Trésor des 1, les cocotiers. Trésor des 2, les manguiers. Il y a des cocos toute l'année, mais des mangues trois mois seulement. Dans la lutte des classes abeilles contre les classes guêpes, la saison des mangues, le fruit le plus doux, est la plus dure. Yafoun Aléki raconte de grandes batailles. Elle ne dit rien sur le chef des abeilles. Je comprends seul. Je baisse la tête pour la première fois depuis qu'elle parle. Le cocotier ombre les traits de ses rames et les boules des maisons des jaunes-noirs sur les carreaux bleu-blanc de sa robe. Elle est belle Yafoun Aléki. Mais elle est déjà Joe-le-petit-boum-boum. Je ne vais quand même pas devenir la reine des abeilles.

«*LES BRAZZA! Dans cette vieille et riche famille vénitienne, il n'était pas rare qu'un enfant se perdît dans les atlas et rêvât d'horizons nouveaux. Après tout, l'arbre généalogique comptait les prestigieuses branches d'un César, empereur de Rome, et deux doges, régents des Républiques de Venise et Gênes. Porter au loin la civilisation, on connaissait. Mais la passion de Pietro pour la France, sa langue, son histoire, sa culture et même ses traditions régionales, ne trouvait pas explication aux yeux de ses géniteurs. Adolescent, il exigea de continuer ses études dans un lycée à Paris. Ses parents cédèrent et jouèrent de leurs relations pour qu'il fréquentât le meilleur. Le sens italien de la famille. Après ses classes dans l'établissement d'élite, il s'engagea dans la marine française. Quand éclata la guerre, Pietro voulut, comme toute la France, en découdre avec les armées du Kaiser. Toutefois, on se méfiait de ce qui n'avait pas les bonnes couleurs sur les trois bandes du drapeau. Un "Italien" avec un accent à couper à la baïonnette était suspect. Resté en caserne bretonne, loin des champs de bataille ardennais et de la défaite historique, Pietro ne démordit pas de son désir de France. Au contraire. Il se naturalisa et devint Pierre. Ses classes de jeune officier de marine, il les fit en embarquant sur des croisières dont personne ne voulait. Longeant les côtes africaines aux abords de l'équateur, la vue d'un large estuaire ancra en lui l'idée d'un confluent nord par lequel on pourrait rejoindre le Congo en amont, loin des chutes où il se jette dans l'océan. L'heure de l'explorateur Pierre avait sonné. Une telle expédition n'était pas une priorité financière de la France croulant sous les réparations de sa mésaventure sedanaise. Aucune autre d'ailleurs. Alors Pierre se tourna vers les siens. Tous mirent à la poche leurs mains nanties. Peu importe si c'était au nom d'une nation étrangère. Le sens italien de la famille. Pierre engagea une équipe de porteurs, piroguiers* et accompagnateurs protégés par une douzaine de tirailleurs sénégalais, parmi lesquels le sergent Malamine.

Pierre et Malamine s'apprécièrent tout de suite. Le néo-Français admirait la vivacité physique et l'intelligence du néo-colonisé. Le néo-colonisé aimait l'apprenti colon qui regardait dans les yeux, avait la langue chantante et parlait un français sans les "foulcan-laba", "cosson-malade", "sal-makak", "abriti", "fé-chié" des tatoués, des disciplinaires, et des demi-bons du camp des Madeleines à Dakar ou à Saint-Louis. Son discours sur l'égalité entre les hommes de la terre, même entre noirs et blancs, Malamine n'y croyait pas. Mais il aimait la passion dans sa voix et la bonté en lui. Pierre, tout le long du voyage, traitait les populations avec respect. Il y avait encore du trafic d'esclaves dans la région. Les Portugais, des décennies après "l'abolition", continuaient d'aspirer le "bois d'ébène" vers la côte. Chaque fois que l'équipée française rencontrait une de ces caravanes, Pierre rachetait à prix d'or la liberté de dizaines d'esclaves. Malamine lui souffla le modus operandi. Les convoyeurs, payés la nuit à l'abri des regards, s'évaporaient dans la nature, trop heureux de ne point avoir à rallier la côte avant de tirer profit de leur "marchandise". À l'aube, les esclaves étaient rassemblés autour d'un petit mât. Ils s'agenouillaient et embrassaient le drapeau tricolore, puis Pierre, solennellement, les déclarait libres.

Le ventre de Pierre semblait ne lui servir que d'organe de transit temporaire. Nourriture ou boisson, tout ce qu'il y introduisait était expulsé sans délai et sans transformation dans les premiers bosquets. Malamine en avait vu du blanc diarrhéique, mais Pierre les surpassait tous en entéropathies. Devant ses fréquentes absences et sa faiblesse physique de plus en plus grande, Malamine prit l'initiative dans tout ce qui concernait la menée. Quand ils atteignirent enfin les bords du Congo, l'expédition était loin de son fringant des débuts. Avec le tarissement des "cadeaux", de nombreux accompagnateurs l'avaient désertée. Ne restèrent qu'une poignée de porteurs et trois tirailleurs, dont Malamine. Les Batéké-Tio, maîtres de la rive droite du fleuve, les accueillirent avec la plus grande des ferveurs, heureux que ce soit le "bon blanc" qui arrivât en premier. Ils avaient appris que sur la rive gauche, approchait un "mauvais blanc" surnommé "Mbula Matari", briseur de roche. Morton Stanley, un Anglais naturalisé Américain, au nom du roi des Belges, se traçait un chemin avec des bâtons d'explosifs. Il ne contournait pas les obstacles naturels, il les dynamitait.

Lors de la rencontre avec le Makoko Ilho, autorité spirituelle de la région, Malamine ajouta deux énormes sangliers, quatre biches naines, et trois oiseaux bleus aux cadeaux ayant échappé à la dispendieuse générosité de Pierre. Le Sénégalais fit grande impression. D'autant qu'il renouvelait quotidiennement les exploits de chasse et la distribution de viande. *Une fois, il abattit un hippopotame qui semait la terreur sur le fleuve et ses rives. Malamine devint Mayélé, le débrouillard. Il inspirait respect et confiance. Pierre, amaigri, sale, déguenillé, nu-pieds, toujours à s'accroupir dans les fourrés, attirait plutôt la compassion.*

Alors quand ce pauvre homme blanc offrit de mettre tous les Batékés en dessous du ciel, sous la protection de "son pays" la France, c'est dans les yeux de Malamine que le Makoko vit qu'il était sérieux. Il signa le traité. Ainsi s'installa à Nkuna la garnison française la plus fragile de l'Histoire: un Italien diarrhéique et deux tirailleurs sénégalais. Malamine fit appel à une vieille sorcière pour calmer les courroux coulant du ventre de Pierre. La drôlesse le gava de décoctions, l'enferma dans une case et, après une longue transe, prédit que l'explorateur mourrait de diarrhée mais dans plusieurs années, sur la même terre que son fidèle compagnon. Rassuré, Malamine renvoya Pierre en hamac jusqu'à la côte. Il garda une copie du traité et, au nom de la France, tint seul la place de Nkuna, plus tard baptisée Brazzaville plutôt que Malamineville.»

par Coumba Camara
Tirailleur seconde classe
Assikasso

CHAPITRE DE LA « MORT »
FEMME DE PARISIEN

— Bonzour ma coumandan.

Sokhna me réserve ses premiers mots du jour en même temps qu'un seau d'eau chaude qu'elle pose dans le clos des tubs. En dehors des formules de salutations, elle parle rarement français. Pourtant, je sais qu'elle a au moins le niveau d'expression de son tirailleur d'époux. Ce qui dans notre concession la hisse au rang d'académicienne. Depuis plusieurs années, elle partage la vie de troupe avec Coumba. Partout où nous recrutons, formons et envoyons des tirailleurs, il y a leurs femmes. Il n'est pas rare qu'elles participent aux combats. Elles savent se glisser entre les lignes de front pour distribuer nourriture et munitions. Au plus fort de certaines escarmouches, il leur arrive de donner le coup de feu en remplacement d'un blessé ou d'un mort. Beaucoup sont tombées pour leurs maris tombés pour la France. Sokhna, toujours première à s'éveiller, Petit Malamine achève ses nuits noué à sa croupe. Pendant qu'elle prépare le repas de la troupe, Coumba claironne le réveil. Et ce n'est pas seulement notre camp qui en bondit sur ses jambes. Depuis le village, des matinaux accourent à l'appel du cuivre.

Mes trois tirailleurs, les miliciens Djiminis, Kouadio Angaman, alias Capitaine-et-veinard, et Kassy Ntiman, toujours énervé de ne point avoir de prénom français, et moi-même, faisons concurrence de raideur au mât pour saluer les trois couleurs de la Troisième République.

— Coumba, le drapeau tous les matins, je ne suis pas obligé. Je ne suis pas militaire.

— Ma coumandan pas vrai. Venir Grand-Bassam avec fusils beaucoup beaucoup ! Nous y en a gagner nouveaux nouveaux bons bons fusils avec ma coumandan.

Peu importe s'il est civil ou militaire, pour tout tirailleur sénégalais, l'homme blanc ordinaire est d'office *ma capitaine*. Les galons de *ma coumandan*, l'ironie me les a accrochés après plusieurs jours de vomissements et un remuant débarquement avec les caisses de Chassepot venus de Châtellerault. Mes Alsaciens apprécieraient le compliment. Pour le petit régiment de Grand-Bassam, je suis un envoyé du saint ministère de la Guerre.

— Drapeau la France grand fétiche. Quand blanc saluer drapeau, noirs respecter la France.

— Ce n'est pas un fétiche, Coumba. C'est juste un symbole. Un symbole c'est…

— … grand fétiche de tout le monde. Sergent Malamine ma noncle direct. Lui soigner maladies Congo avec drapeau la France.

Pas une discussion sans illustrations des aventures de son noncle direct, le sergent Malamine. Coumba a raison à propos de la nécessité de ma présence symbolique au drapeau. Elle frappe les imaginaires d'un pays où l'action la plus banale s'accompagne de rituels complexes à dérouter l'huissier anglais le plus procédurier. Ici, l'allégorique est toujours de rigueur, le métaphorique obligatoire. Je n'ose même pas imaginer ce qu'interprètent les têtes noires du fidèle public matinal à la tribune de notre liturgie républicaine. Sous le chant d'un instrument plus bruyant qu'un olifant viking, notre troupe gesticule autour d'un piquet de bambou de Guinée planté dans le sol, au sommet duquel est accrochée une étoffe tricolore s'agitant dans le vent, scrutée avec vénération. Le cérémonial est ridicule, sauf si on le lit à la lumière de sa symbolique : planté en la terre de la *patria*, pays du père, le mât maintient l'étendard, le *standhard* des valeurs qu'hommes et femmes de la *natio*, nés d'un ancêtre commun, rassemblés, debout, fiers, hissent au firmament. Il en faut de l'éloignement pour retrouver le sens d'actions devenues mécaniques au Carré des Invalides ou au Carré Mercurial de Chambéry. Nous sommes des Agnys qui avons perdu la mémoire.

Le clairon de Coumba n'est pas étranger au succès de notre salut aux couleurs. Son répertoire tourne autour de *L'Appel des consignés*, *Ouvrez le ban*, *À l'étendard*, *Fermez le ban* et du désormais célèbre *As-tu vu Bismarck*. Tous les matins, il leur ajoute des notes de son cru. Et quand, emballé par une phrase heureuse, le public réagit en criant ou tapant des mains, Coumba se laisse aller à des solos impromptus mais toujours justes. Il embouche son instrument avec une telle ardeur qu'à chaque note, je crois ses lèvres craquelées, ses poumons asséchés. Les joues se dilatent à tuer de honte les rainettes ventriloques, les yeux écarquillés cherchent exil hors de leurs orbites, la jugulaire serpente le cou. Je pense qu'on entend le clairon de Coumba au-delà du bout du bourg. Et il ne s'arrête pas tant que je ne l'interromps pas. En cette terre africaine, dès l'aube, la présence effective résonne dans les tympans. Notre colline est devenue *Franssykro*, le village de France. Le jeu à la mode est une parodie de notre parade. Les enfants l'exécutent avec des bambous en guise de Chassepot et une corne de chèvre en remplacement du clairon. Les adultes me font des garde-à-vous à tout-va. Toutes les bouches me donnent du *Coumandan Dabii*. Toutes sauf celle de Boidy. Je reste son fétiche blanc. Matin et soir, un neveu, un fils, ou un kangah captif de case monte ma part des ragoûts de ses épouses. Avoir partagé le gîte avec ses ancêtres fait de moi une bouche du clan Boidy. Aux yeux de tous, il est le chef de famille de Coumandan Dabii.

Lorsque les tirailleurs Coumba et Soumaré, Chassepot en bandoulière, munitions en ceinture, disparaissent dans la forêt, ils réapparaissent attelés comme des illustrations de revues coloniales, l'un devant l'autre, une bête pendue par les quatre pattes attachées à une traverse en bois posée sur leurs épaules. Coumba est habile du Chassepot, mais, sans rien connaître à la cynégétique, je ne pense pas que ses pérégrinations sylvestres donnent des histoires épiques. La forêt est encore plus giboyeuse que celle autour de Grand-Bassam. On ne chasse pas dans ces conditions : on prélève. Tous les jours, des carcasses sont dépecées au mât. Pour une fois, au pied du drapeau, du sang d'animal plutôt que du sang humain. Mon bureau des armées est un fumoir ininterrompu de gibiers.

Sur notre colline de Franssykro, Coumba est chef de bataillon et maître d'une diplomatie carnée de type Sergent Malamine. Elle nous attire encore plus de sympathie que son jeu de clairon. Tous les jours, le fruit de sa chasse est emballotté dans des feuilles de bananier avant de prendre la direction des deux cours royales. L'attention va jusqu'à délivrer la viande à l'heure du soleil clément, lorsque commencent les préparatifs du repas du soir. D'obédience Yafoun ou d'allégeance Éhiwa, toutes les familles d'importance reçoivent un paquet sanguinolent assaisonné de : « La France ne veut pas que sèche votre bouche, le commandant vous fait profiter de son adresse ! » La formule vient de Boidy. Une « bouche sèche » est d'une si grande pauvreté qu'elle ne connaît jamais le gras d'un morceau de viande. La première partie de la phrase est une promesse de prospérité. La seconde est plus sibylline. Un fusil qui est adroit dans les champs l'est aussi sur le champ de bataille. Le cadeau est emballé d'une promesse de prospérité et d'une formule de menace. Notre colline, c'est-à-dire la France, n'est pas généreuse par faiblesse. Elle saura se défendre si on l'attaque. Le mensonge est grossier. En cas d'attaque massive, on ne résisterait pas une demi-heure, et encore à cause de notre position élevée. Mais « la bonne disposition du ventre commande à la bonne disposition de l'esprit », dixit Boidy. Bientôt, le tout Assikasso n'a que Franssykro à la bouche. Au propre comme au figuré. Voyageurs et caravanes du Nord y font désormais escale. À la grande colère des négociants apoloniens, notre case ministère du Commerce s'anime.

—

L'homme le plus grand que j'ai jamais vu de ma vie est debout devant moi. Il me rend trois têtes. À son altitude, le défi est naturel. Une pièce de cotonnade flotte de ses épaules à ses pieds, qui pourrait servir de couverture à trois endormis. Dans sa main gauche, un chapelet a l'air d'un bracelet alors qu'un humain ordinaire pourrait l'utiliser comme lasso. Derrière lui, en file, une vingtaine de porteurs brillent de sueur, ballots en équilibre sur le crâne. Avec Coumba et Kouadio-Angaman Capitaine-et-veinard, nous avançons aux limites de la concession pour accueillir la caravane.

— Que la paix d'Allah le miséricordieux soit avec vous. Je suis Sitafa, descendant de Wattara, Bambara de Bondoukou depuis que les poules savent pondre des œufs, commerçant de père en fils depuis que les hommes savent manger les poules et leurs œufs. Au nom d'Allah le magnificent, mes hommes et moi nous vous saluons.

Point de lever drapeau, avant toute chose je m'empresse de lui demander des nouvelles de Treich. Violé, l'évangile selon Eugène Cébon. Kouadio-Angaman Capitaine-et-veinard me regarde d'abord avec étonnement avant de reprendre longuement la parole. Il ne traduit pas, il interprète. Évangile selon Louis Anno, chapitre 1er. On apporte un bol d'eau. Le grand Bambara le vide d'un trait. Satisfait, il esquisse un sourire d'enfant sur ce visage de géant. Les porteurs se dispersent dans la concession. Nous nous asseyons devant ma case, à l'abri du soleil.

Accourt Sokhna avec des noix de cola posées sur une écorce, sorte d'assiette ligneuse. Notre hôte se sert et mord dans le fruit amer et dur. De la taille d'un marron, rouge ou blanc, la cola jaunit les dents. On lui prête des propriétés toniques. Elle est surtout prisée et répandue dans les Soudans, pays semi-désertiques. Chez les Mandés-Dyoulas, aucune cérémonie, aucune conversation sans coque à cola. Ce fruit est à l'origine des premiers échanges commerciaux entre l'Afrique de la forêt et celle de la savane. Avant nos articles, les Mandés-Dyoulas en ont tellement colporté qu'ils ont réussi à créer un Worodougou, pays de la cola, en un endroit où il n'y pas pas un colatier debout des centaines de kilomètres à la ronde. Notre invité croque lentement, bruyamment. J'ai l'impression d'un complot ourdi pour éprouver ma patience. Assis, les différences de taille s'estompent. Peut-être ce qui me donne le courage d'envisager le saisir au collet.

Juges de la parole à donner, avocats de celle donnée, au milieu de cette myriade de langues, de cultures, toutes les actions coloniales revêtent les habits de leur intelligence. Frapper comme des sourds ou se faufiler comme des sournois dépend de leur savoir-faire, de leurs personnalités. Idées ou matériels, tout transite par eux. Position de démiurge est tentante. Ce ne sont pas des saints. Lors des échanges, dans un sens comme dans l'autre, ils se servent au passage dans le dos du blanc et dans celui du noir. Ils savent glisser leurs intérêts dans les ombres d'incompréhension. Certains amassent ainsi d'immenses fortunes. Ils sont la première classe de privilégiés créée à notre contact, notre première élite, la pointe de nos menées.

J'observe comment Kouadio Angaman Capitaine-et-veinard prend une posture lorsqu'il s'adresse à Sitafa, puis une autre quand il s'adresse à moi. Souple, souriant, presque hilare, tourné vers le Bambara. Sérieux, droit, concentré, presque rigide quand il s'adresse au Français. La langue véhicule ses propres attitudes. En début de conversation, on se parle tournés vers l'interprète. Il est médium. Quand avance le propos, on se regarde, l'interprète n'est plus qu'un murmure et s'efface.

— Je suis un Djatiguitchè, un logeur officiel. Dans ma concession, je peux recevoir une caravane de la taille de celle de Mansa Kankoun Moussa lorsqu'il partait à la Mecque, sur les très saintes terres d'Allah le gracieux. J'ai reçu tes frères français alors que personne d'autre ne voulait d'eux.

— Pourquoi?

— La peur des Anglais! On savait qu'ils viendraient tôt ou tard. Depuis qu'ils ont mis en pièce les armées ashanty et pillé Koomasee, tout le monde les craint. Les Anglais ont la poudre sèche.

— Nous aussi avons de la poudre sèche.

— Les Anglais sont rapides à la colère. Leur poudre s'allume plus vite que la vôtre. Surtout quand il y a de l'or en jeu.

— Et toi, tu n'as pas peur des Anglais? Pourquoi as-tu accueilli le Français et sa troupe?

— Je ne suis pas un héros. Je suis un Wattara. Je sais qu'au fond, les Anglais sont des commerçants comme nous. S'ils trouvent votre pavillon devant chez moi, un des plus grands commerçants de la ville, je n'aurai qu'à leur dire que j'ai succombé à vos alléchantes propositions. Ils comprendront et me demanderont ce qu'elles sont. Je mentirai en exagérant les offres françaises. Ils me feront des contre-offres.

— Est-ce que votre roi a accepté notre pavillon ?

— Non seulement il l'a accepté, mais il l'a fièrement monté lui-même au milieu de sa concession. Il a signé le papier français devant une cour médusée. Personne ne sait comment Adjoumani s'est laissé convaincre par ce blanc faible, malade, déserté par la moitié de ses porteurs, et protégé par une si petite escorte de Sénégalais. Il se dit que votre Treissy a un puissant fétiche. Encore plus que les fusils, nous craignons les fétiches. La belle affaire que j'ai faite en l'accueillant ! Mes concurrents étaient jaloux comme les testicules sont jaloux du pénis. Voir passer l'affaire de si près et ne pas pouvoir y participer...

Et ce rire qui donne au géant un visage d'enfant. D'autres rires l'accompagnent. L'assemblée s'agrandit.

— Pourtant, votre Treissy était malade. Son ventre refusait de s'assécher. Je lui ai envoyé mon karamoko, mon féticheur personnel, mais rien n'y fit.

— Il est mort ?

— Soubahan'Allah ! Non padi ! Il n'avait plus de ventre, mais il avait toujours sa tête. Ses Agnys et ses Sénégalais s'occupaient de lui avec délicatesse. Votre Treissy était obsédé par deux choses : partir à Kong et retrouver un de ses frères.

— Il y est allé ?

— Bissabi'llah ! Pas tout de suite. Adjoumani l'a retenu sous le prétexte qu'il était trop faible pour prendre la route. Moi, j'ai en idée qu'il voulait le garder le plus longtemps possible pour que les Anglais le trouvent à Bondoukou. Adjoumani se serait ainsi dégagé de toute accusation de collusion avec l'ennemi et l'affaire se serait réglée entre blancs. Mais Treissy a la tête dure. Il a fini par s'en aller. Il m'a laissé beaucoup de cadeaux, alors je l'ai moi-même accompagné jusqu'à la rivière Zanzan, à plus de trois jours de marche. La dernière fois que je les ai vus, Treich, ses Agnys et ses Sénégalais se portaient bien.

— Et l'autre homme blanc, l'a-t-il trouvé?

— Bisim'llah! Non padi. Mais devine qui était à Bondoukou à mon retour.

— Le blanc de Treich...

— Allah'ko! Non padi.

— Les Anglais.

— Walaye Bilaye! Un troupeau entier accompagné d'un régiment de tirailleurs haoussas, les sanguinaires de la porte du grand sable. Ils portaient des sacs cousus à même la peau du dos, leurs fusils étaient longs comme mon bras, menaçants comme lionne affamée et brillants comme soleil d'un midi d'harmattan. Par avance, les femmes entamèrent les lamentations et les chants funéraires. Les vautours tournoyaient de plaisir dans le ciel. Et moi, Sitafa, fils de Wattara, si j'étais à deux doigts de faire sur moi, je parie toutes les colas du Worodougou qu'on aurait trouvé des choses puantes dans le boubou de notre roi Adjoumani.

Je ne suis pas seul à être subjugué par son sens de la fable. Toute la concession est rassemblée autour du préau. Un cri strident se fait entendre. Petit Malamine, si rarement libre des fesses de sa mère, se signale, assis seul à l'écart.

— Il tient bien de son père celui-là.

Les éclats de rire font taire l'enfant. Moment que choisit Sitafa pour enfoncer les incisives dans une autre noix de cola. Le Bambara géant partage même avec ses voisins et ses porteurs. Bientôt, plusieurs mâchoires bruissent du craquement de la cola sous les molaires. Broyée et vidée de son suc, les bouches la crachent en jet. Que celle qui tient le crachoir se libère !

— Les Anglais sont arrivés exactement sept jours après le départ de Treissy. Leur chef s'appelait captain Lèf... Lèfy...

— Lethbridge.

— Exactement ! Allah est miséricordieux de fabriquer des bouches qui puissent prononcer un tel nom. Le captain Ce-que-tu-dis était plus blanc qu'un linceul maure. Ses yeux lançaient les flammes bleues du milieu des foyers de forgerons. Il était effrayant. Je comprends maintenant ce que disent les gens sur la différence entre Anglais et Français...

Capitaine-et-veinard se signale. Il me prévient que la phrase à suivre peut être vexante. Je le rassure, je sais de quoi il parle. Une des galéjades de l'ami Wayou, chef piroguier kroumen. Il la sort à tous les Français de Grand-Bassam chaque fois qu'il estime sous-payés ses services de canotier hors pair. Fourcade, sa cible préférée, en perd toute contenance. D'Assinie à Bondoukou, probablement plus loin encore, depuis longtemps, il se dit : « C'est l'Anglais qui commande à tous les blancs. La différence entre les Français et les Anglais est la même qu'entre les femmes et les hommes ! » Comme les papillons migrateurs, personne ne sait d'où vient cette idée. Sedan n'est pas loin. Drewin, Lahou, Dabou, Grand-Bassam, Assinie, partout dans le golfe de Guinée, forts et garnisons battant pavillon français sont vidés de leurs militaires partis guerroyer l'Allemand. Suit une longue absence pendant laquelle les seules forces blanches en Afrique sont anglaises. Les armées coloniales britanniques comptent nombre d'officiers, de sous-officiers et d'hommes de troupe européens. Sur les autochtones, l'effet visuel est plus impressionnant qu'une colonne française, en général menée par un seul officier blanc à la tête d'une bousculade de Sénégalais. Durant la *Saa Garnety War*, la guerre contre les Ashantys, Sir Garnet Wolseley, *Saa Garnety Wossély* selon les autochtones, mène une véritable armée anglaise. Pour la première fois, une puissance coloniale, sans supplétifs locaux, s'oppose à une véritable nation africaine. Loin les engagements, les escarmouches, les guet-apens usuels. Embuscades, combats, batailles s'enchaînent sur un vaste territoire. En jeu, l'or ashanty. Les Anglais n'ont jamais fait couler leur sang juste pour l'élégance de l'Union Jack à flotter dans le vent. Les Ashantys vaincus, Sir Garnet *himself* est au devant de ses troupes pour mettre à sac la capitale Koomasee, à la recherche de bijoux, d'insignes royaux et de tous autres objets en or massif. Faisant le tour de l'Ouest africain, la nouvelle de la défaite ashanty et du saccage de Koomasse frappe de stupeur. Dans le même temps, la flotte anglaise impose un blocus sur les côtes du golfe de Guinée. Verdier est soupçonné de fournir fusils et poudre à la résistance ashanty. Les bâtiments de la Royal Navy arraisonnent tous les navires européens, les fouillent avant de les autoriser à accoster. Surtout aux encablures d'Assinie et Grand-Bassam. Alors que, dans l'imaginaire africain, «C'est l'Anglais qui commande à tous les blancs, les Français sont les femmes des blancs!», cela ne me vexe pas. Encore moins depuis que je connais la force de travail de la femme agny.

— In'Allah! Notre bon roi Adjoumani en personne a descendu le drapeau français qu'il avait monté une semaine auparavant. Il l'a remis en main propre au chef anglais. Il s'est dépêché de signer sur le papier anglais une croix deux fois plus grosse que sur le papier français. D'un mépris gorille, il a tendu au captain Ce-que-tu-dis le traité signé avec Treissy.

— Un mépris gorille?

— Oui, un mépris exagérément affiché. Le gorille est déjà laid, il n'a pas besoin de déformer sa figure pour montrer du dédain.

— Et qu'est-ce qui s'est passé après?

— L'Anglais tremblait.

Une autre noix de cola disparaît derrière ses dents jaunies. Il se joue de moi. Le mépris gorille doit être une spécialité du Bondoukou.

— Aminh'Allah! Depuis que nous prions en montrant les fesses à l'Ouest, nous connaissons l'écriture arabe. Je suis Allamoko, homme de Dieu. Assafroulaye! Personne chez nous ne connaît l'écriture cafre, qu'Allah nous en garde! On ne peut pas dire ce qui faisait trembler le blanc trop blanc pendant sa lecture du traité. Certains parlaient de colère, d'autres de peur. Nous étions unanimes sur une chose: le fétiche de Treich! Sans avoir molesté un seul poulet, les Anglais ont fait demi-tour dans la journée même de leur arrivée! Pour être sûrs qu'ils ne rebroussent pas chemin, nous les avons accompagnés à la rivière Zanzan, à six jours de marche. La dernière fois que nous les avons vus, les Anglais se portaient bien.

— Le fairplay…

Le géant bambara écarquille les yeux et se penche pour me chuchoter.

— Dis-moi où je peux trouver ce fétiche « fairplay ».

— Allamoko, homme d'Allah, pas avant que tu ne me racontes, et vite, tout ce qui est arrivé à l'homme que cherchait Treich.

Sitafa se redresse, altier de nouveau.

— Soun'Allah ! Il est arrivé quelques jours après les Anglais. C'était décidément la saison du blanc. Ceux qui l'ont trouvé me l'ont immédiatement envoyé. Aux yeux de tous, je suis devenu Franssitafa, logeur officiel des Français. Il était chétif et puait à se faire poursuivre par un troupeau de chèvres en chaleur. Telle une répudiée, de village en village, il a erré des mois en pays mossi, gourounsi, dagomba. Même les Lobis n'en voulaient pas. Cet homme doit être vraiment maudit pour que le rejettent des primitifs nus, indécents, fétichistes et incroyants. Il a fait rire tout le monde en disant qu'il était militaire dans votre armée. J'ai envoyé quelqu'un prévenir Treissy à Kong. Mon messager est revenu avec des cadeaux pour moi et un cheval pour le blanc à forte odeur. J'avoue que j'étais heureux de vite le raccompagner jusqu'à la rivière Zanzan, à moins de deux heures de marche. La dernière fois que je l'ai vu, il était sur le dos d'une haridelle aussi squelettique que lui, il sentait aussi fort qu'à son arrivée, mais votre militaire errant se portait bien.

—

Ma terrasse aménagée en promontoire forme plus qu'un poste d'observation au-dessus du bourg d'Assikasso. Je m'y recueille pour profiter de la naissance de l'aube, l'unique moment de paix contractuelle entre la nature et les hommes en cette Afrique de forêts. Les moustiques digèrent leur orgie de sang humain ; les fourous, furieux moucherons, sont engourdis par la rosée sur leurs ailes ; chouettes, hiboux, chats-huants, tous les bruyants ailés nyctalopes sont cois dans leurs arbres ou cavernes ; les insectes aux systèmes d'alerte avancés s'accordent un repos ; les ténèbres de la nuit se révulsent et laissent filtrer des bleus encore trop profonds pour chatouiller les rétines ; des toits de chaume des cases-cuisines en contrebas fument, volutes de fumée en concurrence avec les nappes de brouillard. Tout ce qui possède une surface dégouline. L'atmosphère est tellement saturée qu'on peut boire l'air. Passée la sensation d'étouffement, la forte hygrométrie installe une grisante réminiscence d'un temps placentaire. Si un jour quelque plumitif explorateur décrit l'Afrique comme le berceau d'une humanité primitive dans un éden sauvage, il l'aura imaginé dans ces instants fugaces. Déjà percent de fins rais dans les nuages indéfinis émanés de la terre, exsudés des plantes. Avec la multitude des trouées dans le couvert végétal, ils se rassemblent en faisceaux. Traverser l'eau en suspension leur fait l'effet de passer une lentille grossissante. La température frôle déjà les maxima alors que le soleil ne s'est pas encore extirpé de l'horizon de sylve. De même qu'il n'y a presque pas de crépuscule, il n'y a presque pas d'aube. Je l'observe tous les matins. Laudes à Assikasso est le miracle des aurores.

Elle arrive un de ces matins-là. Elle progresse, un pas après l'autre. Elle gravit lentement la colline, un palier après l'autre, une étape après l'autre. Elle devait arriver, elle est là. Je ne sais quel visage lui présenter, quelle posture lui offrir. Une lame de froid me tétanise, une vague de chaud me remue. Fondent les dernières résistances en mon corps. Fourmi au bout du petit orteil devient fourmilière dans la jambe. Perle au front devient torrent aux épaules. Notre rencontre est scellée depuis La Rochelle. Elle m'enlace, m'étreint. Un tourbillon m'aspire dans le portail de ses délires. Père romain et sa morve ultime, mère avalée dans un nuage de talc, vagues déferlantes de piments, usines dragons, cloîtres éventrés, Chassepot caméléons, plage chantante, horizon dansant, nègres vibrionnants, coloniaux démiurges, horde indolente, forêts sorcières, moustiques vampires, tirailleurs cannibales, prince en marmite, interprète pantomime, crocodile iodé, crabes-tapis... et les tresses hirsutes, le ventre étoilé, la peau sans teint, la buveuse de lumière, les jambes fuseaux... Je suis à elle. La fièvre palustre est là !

Commencé comme un lointain murmure, le son enfle lentement, s'impose doucement, jusqu'à un point où on n'entend que lui. Ce tam-tam n'a pas la légèreté de celui de la fête chez Boidy. Il ne fait pas que sonner, il résonne. Dans toute ma tête. Les vibrations courent le sol, remuent mon corps. Pour les ressentir si puissamment, il faut être par terre, couché de tout son long. Par le relais des os, la cage thoracique amplifie les sons qui m'explosent en tête à chaque coup sur les peaux tendues. Une rythmique lancinante sous un insoutenable solo. Qui invite le diable ? Il faut taire ce tam-tam des enfers. Un soir sans lune, dans le carré des boys, Eugène Cébon évoquait la guerre et les sacrifices humains. Dans la terre, il y a les plantes et les esprits. Les plantes se nourrissent d'eau, les esprits de sang. Aux plantes, la nature offre la pluie ; aux esprits, les hommes offrent les guerres et les sacrifices. Aucun sacrifice, aucune guerre ne se fait sans musique. Eugène Cébon comprend que nos armées aussi s'étripent en musique, que nous ne nous massacrions jamais sans tambour ni trompette. « Dabii, les peaux ont plusieurs couleurs. Mais les esprits de tous les hommes ont une seule couleur, celle du sang. » Le grand tam-tam est dressé au liseré des deux mondes. Le vent transporte le son des hommes, la terre propage celui des esprits. Je l'entends de toutes ses vibrations. Fantasia d'éléphants, ballet de baleines dans ma tête. Je suis déterminé à arrêter ce tam-tam. J'ouvre les yeux. Je vois le drapeau de la France.

Coumba épuise toute la quinine, Boidy trois féticheurs, sans que la succession des fièvres et des délires ne présente un soupçon d'accalmie. Ils perdent tout espoir lorsque mes entrailles s'ouvrent en cataractes. Kassy Ntiman déserte le premier. Il n'aura jamais son prénom chrétien. Suivent les colporteurs mandés-dyoulas, ensuite les miliciens djiminis. Un blanc mort ne paye pas. Coumba renvoie à la côte les tirailleurs Soumaré, Sall et leurs familles. Les négociants apoloniens pérorent. Ils laissent entendre des choses sur des charmes maléfiques par eux noués et enterrés sous ma case. Chaque soir, Boidy est convaincu que je ne passerai pas la nuit. Tous les jours, lorsqu'il redescend de la colline, on accourt l'interroger.

— Le mort est-il mort ?

— Non, pas encore, le mort est toujours vivant.

En agny, évanouissement, coma et mort sont le même mot. Il ne faut donc pas s'agenouiller en dévotion lorsqu'un mort ressuscite, même après trois jours. Le fait est courant à cause de la confusion lexicale. La chrétienté n'aurait pu naître en ces contrées : le Jésus agny n'aurait attiré aucune curiosité. Combien de temps dure ce manège ? On n'a jamais vu mourir aussi longtemps, aussi souvent sans mourir. On parle d'âme pangolin, l'animal qui reste accroché à sa branche plusieurs jours après sa mort. On évoque aussi un puissant contre-fétiche. Les croyances tergiversent, les superstitions s'ébranlent.

— Le coumandan est un prêtre de la religion des blancs. Il paraît qu'ils ont tué le fils d'un dieu pour boire son sang les septièmes jours de la semaine.

— Tout le monde sait combien est puissant un fétiche arrosé du sang d'un fils de roi. Imaginez avec du sang d'un fils de dieu…

— C'est vrai ça ? On est foutu alors.

— Je me disais bien que sa danse de possédé de l'autre soir n'était pas naturelle. Ce n'est pas possible d'être aussi désarticulé et désaccordé avec le rythme sans être le jouet de puissants fétiches.

— À Krinjabo, on dit qu'il couche avec Malan Alloua en personne sans qu'il ne lui arrive quoi que ce soit.

— C'est vrai ça ? On est foutu alors.

— Il a dormi sereinement dans la case à fétiche de ce sorcier de Boidy, celle où sont enterrés son père et son grand-père…

— Il fallait le voir se réveiller tous les matins avec le sourire.

— C'est vrai ça ! On est foutu alors.

— Du calme! Nos parents nous ont laissé les plus puissants fétiches du monde.

Assikasso me fabrique une mystique. Les négociants apoloniens perdent leur suffisance. Angaman-Kouadio Capitaine-et-veinard, Coumba, Petit Malamine et Sokhna, le dernier carré me veille en permanence. Ils ne peuvent pas dire quand, mais un soir, elle est parmi eux avec un ballot rempli de feuilles. Elle me sort de la case administrative, me couche sur une natte au pied du drapeau et envoie Boidy mander le tam-tam de sang en criant : «Je suis Adjo la Noire, princesse de Krinjabo, femme de Parisien!»

Abreuvé d'infusions infectes, lavé de décoctions malodorantes, nourri d'une sauce à goût de bile, mon chemin vers le rétablissement prend des allures de torture des sens. Pourtant, une seule présence, un seul geste, un seul regard et l'empire amer est aboli. Ma guérison se joue dans la dextérité d'Adjo à élaborer ses potions et sa délicatesse à me les faire avaler. La belle idée que de ses mains, de ses yeux, de son savoir ma vie repart. Adjo occupe tout, elle s'occupe de tout. Même de m'administrer l'instrument de Molière à la façon agny. Confiance. Ma chair et mes forces aspirées par la cachexie me reviennent goutte après goutte. Des jours, peut-être des semaines que Adjo s'applique à me rendre un aspect qui va cesser de faire fuir les enfants aux cris de «Revenant! Revenant!»

Légende de l'interprète zéro

«EN UN TEMPS où nous étions loin de vouloir nous établir dans les *Afriques, Bouet, un jeune lieutenant de marine, fit avec "la Malouine" des croisières sur la côte des half-jack, de Piquiny Bassam, de Grand-Bassam, et dans les lagunes Bouboury. Il revint en France avec deux choses : "Esquisse commerciale de la Côte d'Afrique", un rapport destiné aux chambres de commerce de Bordeaux et Marseille ; et un jeune noir. Le rapport, c'était pour convaincre privés et politiques de la viabilité commerciale et militaire de points d'ancrage français dans le golfe de Guinée. Le noir, Bouet voulait en faire un simple interprète qui une fois de retour chez lui, en formerait d'autres. Mais le jeune homme, d'une grande vivacité d'esprit, étudia si bien qu'il rentra au lycée Louis-le-Grand, établissement d'élite, où il brilla durant tout son cursus. Le commerce français mit plus de quatre ans avant de réagir au rapport Bouet ; le lieutenant connut une prestigieuse carrière dans la marine ; on n'entendit plus parler du jeune noir.*

Pendant des années, le vieux roi Peter de Grand-Bassam avait intrigué pour recevoir des Européens des rentes de plus en plus élevées. Il avait signé un traité avec Bouet puis son envoyé Fleuriot de Langle, mais aussi avec quelques officiers de la Couronne qui lui donnèrent son nom. Sa souveraineté oscillait entre mains anglaises, françaises, parfois hollandaises. Un seul baril de poudre en plus et il descendait un pavillon pour en monter un autre à sa place. En ajoutant un impressionnant orgue de Barbarie aux traditionnels fusils, poudre, tabac et alcool, Faidherbe, capitaine du génie, avait monté la barre des coutumes versées plus haut que les Anglais. Alors la fête de ce jour était française. Cors et tambours rivalisaient de chahut. Le vieux roi, heureux de sa nouvelle acquisition, esquissa même quelques pas de danse. Aussi peu vêtu et sale comme les autres, un homme dans la foule n'arrêtait pas de se placer contre le capitaine. *Un enfant était accroché à ses jambes. Exaspéré, Faidherbe interrogea: "Mais que me veut cet homme?" Avant que l'interprète n'ouvrît la bouche, l'importun répondit sans accent: "Capitaine, je suis un ancien du lycée Louis-le-Grand, j'y ai fait toutes mes études. L'amiral Bouet m'amena en France, le ministre de la Marine me plaça au lycée et quand j'eus fini mes études, on vint me déposer ici, dans mon village. Je vis en servant d'interprète entre les soldats du poste et les villageois. Je vous présente mon fils. Il s'appelle Louis."»*

par Louis Anno
Interprète à la Résidence de France
Assinie

CHAPITRE DE RÉSURRECTIONS
TREICH

« *Ma coumandan Dabii foutu complet Assikasso. Dja Kouadjo tué lui fini !* » De retour à Grand-Bassam, les tirailleurs Soumaré et Sall sont formels. Je suis mort à Assikasso, tué par Dja Kouadjo. Comme les taxinomistes donnent un nom de genre et d'espèce aux animaux et aux plantes, l'Agny baptise les maladies d'un nom et d'un prénom. Elles possèdent un caractère, des comportements, une filiation anthropomorphique. Pratique de donner visage humain à un malheur inhumain. On n'en supporte que mieux la mauvaise fortune. Dja Kouadjo, l'accès palustre, est colérique et traître. Il sévit en complicité avec ses cousins Nzo Guier, la diarrhée, et Vié Ngo, la fièvre. Leurs actions conjuguées visent à convoquer leur oncle Éwoulé, la mort.

L'annonce de mon décès suscite peu d'émoi. Un Européen dans l'hinterland de Guinée est un sursitaire. Mais par-dessus tout, un événement capital est concomitant de ma disparition : Treich a réussi ! Le Kong et le Bondoukou sont français, les comptoirs de Grand-Bassam et d'Assinie sont sauvés, la colonie de Côte d'Ivoire est une réalité. Treich a dessiné une nouvelle frontière à l'empire de France. En prime, il a retrouvé Binger, l'explorateur perdu. L'égaré de la savane, il l'a ramené vivant jusqu'à la côte.

Dans le récit qu'il m'en dresse, Anno perd les fondamentaux de son métier. Il n'interprète plus, il conte une aventure à un ami. Je me sens flatté qu'il glisse des expressions agnys lorsqu'il sait une notion française confuse. Au début, il n'est pas d'accord pour continuer le voyage vers Kong. Même si sa diarrhée s'est estompée, Treich a vomi beaucoup de sang. Amaigri, affaibli, chacun de ses pas semble le dernier. Car il refuse le hamac. « Quelle idée de la France se feront les hommes de Kong si j'arrive couché en hamac, porté par deux hommes noirs ? Je ne viens pas proposer un traité de servitude, mais plutôt un traité commercial entre deux pays. » L'arrivée au fleuve Comoé lui ravive les sangs. Les eaux sont basses. Le groupe traverse à gué.

Décembre, la savane est balayée par l'harmattan, vent froid et sec. Les miasmes telluriques de la saison pluvieuse sont chassés. Treich donne presque l'impression d'être guéri. Le 24 décembre, au soir de Noël, la horde amaigrie en harde atteint Kéwaré. Les trois chefs qui les accueillent sont en réalité ceux de Kong. Ce n'est pas bon signe qu'on les reçoive à la porte, en quelque sorte. La ville est à une journée supplémentaire de marche. Le porte-drapeau Tano en tête, la troupe arrive en défilé pour le palabre du soir. Le voyage dans l'Indényé, le Bondoukou, les Anglais à Koomasee, le brigandage des caravanes…, Treich est sommé de s'expliquer sur tout.

Sikasso, Kong, Bondoukou et Koomasee fonctionnent comme des villes hanséatiques. Depuis des siècles, une entente tacite leur permet de capter tout le commerce en provenance du nord et du sud. Elles rêvent d'accès faciles aux articles européens. Les Anglais tiennent Koomasee, la plus grande, la plus ancienne, la plus importante ville de la hanse. Pourquoi s'allier aux Français ? Pour sa défense, Treich brandit le traité signé avec le roi Adjoumani du Bondoukou, et exagère la présence de troupes françaises dans le Soudan, où se trouve Sikasso. L'argument fait mouche mais n'arrache pas l'unanimité. Les Anglais ont ruiné l'Ashanty, Kong a peur de subir le même sort. Mieux vaut mauvais commerce qu'absence de commerce. La réunion se crispe encore plus lorsqu'est évoqué Binger. Ici non plus, les chefs ne s'expriment pas directement. Le griot remplace le porte-canne.

— Il a commencé par se vanter de l'amitié de notre ennemi Samory : un hérétique autoproclamé almamy, chef musulman qui mène une bande de féticheurs sanguinaires. À ses côtés, votre homme a même participé au siège de Sikasso. Nos voisins de Tengréla n'ont pas voulu de lui, pourtant ils avaient accueilli votre père René Caillé. Votre homme est arrivé ici affamé, malade, squelettique, puant la hyène. Alors qu'il n'y a pas un seul blanc à mille kilomètres à la ronde, il a osé sortir un papier de cafre pour exiger qu'on se soumette à lui et à votre France ! Au nom de l'islam, nous ne nous soumettons qu'à Allah. Il a échappé à l'exécution publique parce que Karamoko Oulé Wattara a convaincu le conseil que l'homme n'est pas sain d'esprit. On lui a dit de passer son chemin vers le sud où il désirait se rendre, il a foncé plein nord. Aujourd'hui cela fait dix mois et on vient d'apprendre qu'il est à Bondoukou, plein est. Si tu dis que cet homme-là est ton supérieur, qu'il est même capitaine de votre armée, la réunion vient de s'achever. Nous attendrons les Anglais. Kouman bana.

Comme les Agnys, les Mandés-Dyoulas de Kong signifient la fin de non-recevoir, l'arrêt de toute négociation par «*Kouman bana*»: «la parole est close». En général, l'étape d'après est le début des hostilités. Tous ces vains efforts! Près du but, l'échec est encore plus dur à encaisser. Le moral de notre ambassade au plus bas, le chemin retour serait long. Treich seul garde le sourire. Lui seul sait quel miracle il va accomplir.

Noël à Kéwaré
ou *Comment faire revenir un musulman*
dyoula sur une décision prise en conseil

UNE COMÉDIE EN 3 ACTES DE MARCEL TREICH-LAPLÈNE

Acte 1: La religion
Treich se lève brusquement, se tourne vers l'est, les deux bras en l'air.
— Mon Dieu c'est Noël! Il est né le divin enfant Issa, prophète de l'islam, fils de notre Dieu. Il est né sur la même terre que Ibrahim, notre Abraham, père de nos deux religions. Aujourd'hui est le jour le plus sacré chez nous. Permettez-moi de prier avant que ne s'achève cette réunion.
Tano est le premier à comprendre ce qui se trame. Il couche l'étendard aux pieds de Treich avant de se mettre à genoux à ses côtés. Anno traduit chaque mot du *Pater noster* que récite Treich à tue-tête, les yeux fermés, et insiste sur la dernière phrase. «À

Toi le règne, la puissance et la gloire pour des siècles et des siècles. Amiiiina.» Une formule similaire existe dans les prières musulmanes. L'assemblée est médusée.

Acte 2 : L'appât du gain ou diviser pour régner

Sa prière achevée, Treich émet le désir de rencontrer Karamokho Oulé Watarra pour le remercier d'avoir épargné la vie de son frère Binger. Il veut lui offrir personnellement des présents à la hauteur de sa reconnaissance «car celui qui donne la vie est un père, celui qui la sauve est au-dessus du père».

Acte 3 : Le fétiche

Treich s'excuse par avance d'être obligé d'aborder des considérations fétichistes sur une terre musulmane si pieuse. Il est porteur d'un message important venu de Krinjabo. Théâtralement, il fouille les nombreuses poches de sa tenue coloniale. Il jette la pyramide en or de Malan Alloua au milieu de l'assemblée.

Le lendemain, l'ambassade est reçue à Kong avec tous les honneurs. Un cheval est envoyé à Bondoukou. Malgré les protestations de Anno et de tous les chefs excepté Karamoko Oulé Watarra, Treich estime que la signature du traité revient au capitaine parce qu'il est arrivé le premier. Quelques jours plus tard, Louis-Gustave Binger, ému de voir un blanc pour la première fois depuis deux ans, tombe dans les bras de Treich. Les autres le saluent du bout des doigts en se pinçant le nez. Il sent vraiment fort.

Le retour est immédiatement envisagé. La troupe longe le Comoé. Une fois atteinte la zone boisée, le moment où la marche devient pénible, Binger tombe brusquement malade. Il présente une hernie à l'aine en se tordant de douleur par terre. Treich donne ordre aux deux derniers porteurs de le prendre en hamac. Pourtant lui-même n'est pas en meilleur état. Anno rappelle à Treich la mise en garde de Malan Alloua. « Si tu n'en a pas le courage, je m'en charge. Je lui donnerai une mort rapide. » Refus catégorique. Treich veille le malade toutes les nuits. Dans le petit village d'Aouabo, la délégation est reçue avec tous les honneurs par le roi Gouin Komona, un lointain parent de Anno. Il convoque quatre guérisseuses pour s'occuper de Binger. Treich, qui se méfie qu'on empoisonne son compagnon, ne quitte pas les occultistes des yeux. En guise de cadeau de départ, le chef offre trois pépites grosses comme le poing. On ne sait pas si c'est l'or ou le traitement des guérisseuses mais Binger réussit à marcher quelques heures avant de retomber dans le hamac des porteurs. Dans chaque village où sont signés des traités, Treich présente Binger comme le chef de la mission et lui laisse les honneurs de la signature. « Anno, le sentiment du devoir accompli décuple les forces. Sinon, il ne tiendra pas jusqu'à Grand-Bassam », se justifie Treich. Arrivés à Bettié, le vieux Kwamin Bénié leur sert au dîner le vin et les biscuits qui lui ont été offerts à l'aller. Puis la troupe glisse en pirogue jusqu'à Alépé, et ensuite c'est Grand-Bassam. Les deux hommes blancs arrivent à bout de force, surtout Treich qui, malgré la maladie, a fait à pied toute la descente. La colonie est ébahie par son exploit physique et son chevaleresque. La hernie de Binger disparaît comme par enchantement. Personne ne note la fidélité, la loyauté et la vigueur de Anno et Tano, l'interprète et le porte-drapeau, revenus aussi bien portants qu'à leur départ. Anno regrette encore de ne pas avoir passé outre le désaccord avec son ami.

En métropole, la nouvelle du sauvetage de Binger est plus retentissante que celle du sauvetage de la colonie. Le public et la presse ont soif de héros. Depuis la débâcle de Sedan, la jacquerie parisienne de la Commune, la mort de Hugo, il n'y a rien ni personne à mettre sous les feux de l'adulation populaire, sauf le brave général Boulanger et sa Marguerite. On prend fait et cause pour l'explorateur, le grand voyageur solitaire, etc., qui au mépris des dangers et de l'hostilité, etc., traverse l'Afrique sauvage et primitive, etc., au nom du génie français et de la civilisation, etc., etc., etc. Binger, miraculeusement en pleine forme, prolixe sur son aventure solitaire dans la savane, muet sur la traversée en hamac, fait les gros titres des journaux et des gazettes. Nouvelle coqueluche du Paris mondain, il est célébré par le ministère des Colonies et la Société de géographie. On rappelle qu'il fut l'aide de camp du maréchal Faidherbe, héros de la guerre perdue, devancier colonial ayant implanté les premiers forts français sur les bords des lagunes où son protégé achève aujourd'hui son périple. Symbole. Les grands destins sont liés. Gloire à Binger! Treich guérit, dans un hospice parisien, d'une cécité provoquée par ses fièvres. Il est nommé Résident de France et devra se contenter de quelques lettres de félicitations officielles. Dans un tel contexte, personne ne fait cas du fils de paysan, le jeune rural d'un village perdu au centre de la France, donné pour mort dans un village perdu au milieu de l'Ouest africain. Tout le monde m'oublie, sauf Adjo.

—

Elle part seule, sans se poser de question, sans en poser. On peut lui objecter la vieille superstition familiale interdisant la traversée de la rivière Tanoé à toute femme n'ayant jamais enfanté. Mais que vaut telle religion lorsqu'est en jeu la vie de son homme-destin, celui que la devineresse voit dans l'alignement des cauris jetés le jour de la naissance, celui que la prépubère chante dans les assemblées au clair de lune, qui apparaît dans les songes la nuit des premières menstrues. L'homme ignore tout de sa femme-destin, elle seule peut se révéler à lui. Adjo aperçoit le sien un matin où elle contemple la mer, assise sur une crête de la plage de Grand-Bassam. Elle passe son temps libre à scruter cet horizon bleu d'où est venu le sang qui coule en elle. « Nous sommes le fruit d'une histoire qui commence avant nous et ne s'arrêtera pas », lui dit toujours sa tante Alloua. Penser aux ancêtres l'apaise. Sa légende familiale est tachée de peaux blanches comme celle de sa mère disparue. Elle est venue les voir à Grand-Bassam. Ce jour-là, elle en aperçoit une plonger sans hésiter dans la barre. Comme dans ses contes d'enfant, la peau blanche nage jusqu'à la plage, rit avec Wayou, qui en a noyé plus d'une avec sa baleinière. La plage de Grand-Bassam n'a jamais vu nouvel arrivant embrasser les Africains avec autant d'enthousiasme. On dirait qu'il retrouve sa famille après un long moment d'absence. Lorsqu'elle distingue le roux de ses cheveux, sa conviction est faite. C'est lui, son homme-destin. Elle n'est pas surprise qu'on le conduise à Kouamékpli-kro, le village de Kouamé Kpli. La nation noire de Grand-Bassam appelle ainsi Fort Verdier. Pénétrant la première fois dans sa chambre, où son oncle l'a envoyée faire le ménage, Adjo est noyée de sa propre muqueuse d'amour. Elle retire son foulard intime, le plie et l'enfonce dans un coussin. Les Bassamoises disent que la femme en effigie sur l'étoffe est mère d'amour. Elle règne sur le pays des blancs les plus virils. Elle rappelle Akwa Boni, mère de tous les Boni, et Abra Pokou, régente rebelle. Un temps où les femmes régnaient ici aussi. Adjo confie ses prières à Victoria. Elle lui promet un poulet en sacrifice. Il reposera sa tête sur sa vertu, rêvera d'elle toutes les nuits. Il ne peut mourir sans l'avoir connue. Il est son homme-destin. Adjo le sait.

La route pour Assikasso, nous l'avons préparée des mois, mobilisant d'innombrables ressources humaines, matérielles et militaires. La même route, une jeune fille la prend avec à la main un baluchon et un couteau à la lame moins longue que son auriculaire. Sans eau, sans nourriture, sans escorte, sans armes, sans porteurs. Seul ou en groupe, l'Africain voyage ainsi depuis des siècles. La traversée du Soudan à la côte, celle qui vaut à LG sa couronne de lauriers, celle pour laquelle Treich a frôlé la mort, il arrive aux colporteurs mandés-dyoulas de la faire deux fois l'an. Le déplacement est une nature ancienne. Ici, on demande d'abord à l'étranger d'où il vient avant de chercher à savoir qui il est. La filiation par les trajectoires est aussi importante que la filiation par le sang. Sur le chemin, nature et hommes avitaillent. L'accueillant d'aujourd'hui sera peut-être le voyageur de demain. Adjo est dans le sens africain du voyage.

Orpheline, Adjo ne manque pas de mères avec ses nombreuses tantes. Malan Alloua à la tête de toutes. Dans la famille, la science des plantes ne se transmet que de tante à nièce. Mais la science de la guérison, ce sont les dieux qui choisissent à qui ils la donnent. Leurs élus naissent en d'exceptionnelles collusions de circonstances que savent lire les sages. Adjo pousse son premier cri alors que sa mère Amlan Brôfouê Klaman, Amlan la belle blanche, expulse son dernier souffle. La peau très noire du bébé contraste avec celle de la parturiente défunte. Malan Alloua ne s'y trompe pas, elle prend l'enfant sous son aile. Toujours à épier sa tante, à l'imiter dans tout ce qu'elle fait, Adjo surprend par sa précocité. Elle prépare philtres et décoctions. Par-dessus tout, elle sait prononcer les mots de guérison sans lesquels tout remède est inutile. En médecine agny, l'âme commande à la guérison du corps. Elle prépare aussi des potions qui servent à éteindre les ennemis de sa tante. Ses doigts d'enfant exécutent les gestes à la perfection. Elle veut plaire à la femme qui la couvre d'une attention constante. Beaucoup de sorciers ont des armées d'enfants orphelins pour cette raison. En grandissant, elle prend conscience des deux faces opposées de son pouvoir. Elle n'accompagne plus Malan Alloua à toutes les cérémonies... Adjo ne supporte pas la violence des scènes de sacrifice. L'écueil déborde au décès de son grand-père.

Lorsque meurt Amon-Ndouffou, le Louis XIV de Krinjabo comme l'appelle Verdier, il faut célébrer des funérailles dignes de son règne. Des «captifs de case» l'accompagneront pour rendre agréable son au-delà. Ils ne sont pas esclaves car, membres à part entière d'une famille, ils n'ont aucune contrainte, aucune obligation, partagent les mêmes droits et devoirs que tous. Il y en a qui finissent chef de famille et siègent en des conseils importants. Mais ils ne sont pas libres au sens européen. Ils sont «acquis», par exemple en compensation d'un meurtre, d'une défaite militaire, achetés ou raptés dans des tribus éloignées. Leur destin peut basculer en des circonstances plus prévisibles que le commun de l'Agny. La mort d'un roi en fait partie...

Surprise par un cortège dans la forêt où elle trouve les plantes les plus précieuses, Adjo reconnaît son amie de jeu depuis le temps où la terre refuse de porter les jambes d'enfants. Ahou, sa presque sœur, poings liés, visage en larmes, marche en chantant la complainte des kangah, une des plus belles mélodies du monde agny. Elle n'a pas le courage de sortir de son fourré. Les hommes tiennent le sabre multibranche du sacrifice et brille dans leurs yeux la lueur de la plante de guerre. La veille d'un combat, en mâcher une feuille. Juste avant l'engagement, en enfoncer une autre dans les joues et garder la mâchoire serrée durant les affrontements. Les yeux se vident d'humanité. La plante de guerre rend fou de sang. Si volontairement ou par accident la seconde feuille est avalée, la folie meurtrière du guerrier peut se retourner contre son propre camp. On a déjà été contraint d'assassiner des frères d'armes ivres de cette plante. Les suppliques auprès de Malan Alloua ne changent rien au destin de Ahou. Elle disparaît pour toujours de la ronde des danses de nuit. D'autres kangah aussi. Adjo n'attend pas la fin des funérailles pour partir à Grand-Bassam chez Kouamé Kpli, frère d'Akassimadou et Alloua issu d'une autre mère, évincé jeune de la lutte à la succession en étant «offert» en cadeau à Verdier. Comme un kangah.

—

Débarrassée des miliciens, des Sénégalais et des colporteurs, notre colline d'Assikasso ressemble à une cour agny comme une autre. Kouadio-Angaman Capitaine-et-veinard occupe la case du commerce avec Mobla, la danseuse au pagne volant d'un soir chez les Boidy. Ma case administrative est devenue cabinet médicinal. Certes, j'y parachève une convalescence dorée par l'attention d'Adjo. Mais dans la journée, et parfois dans le profond de la nuit, hommes et femmes d'Assikasso se succèdent pour consulter ma belle herboriste de Krinjabo. Maintenant que la terre porte ses jambes, Petit Malamine ne quitte plus notre case. Des yeux de passage croiraient qu'il est notre progéniture. Boidy s'invite régulièrement, en alternant les épouses. On ne manque toujours pas de gibier. Coumba détient suffisamment de munitions pour dépeupler toutes les forêts de l'Indényé. Notre chef d'état-major garde un fusil par habitant resté sur la colline, Petit Malamine et moi compris. «Ma coumandan, on sait jamais quand noir lé faché!» Plus de parades claironnées, plus de défilés de caravanes.

N'étant pas à une curiosité près, tout le monde parle agny à Franssykro.

Le signe qui déclenche notre retour à Grand-Bassam est sous mes yeux depuis des semaines. Sokhna y glisse une allusion. «Ma coumandan pas dormir la nuit.» À Châtellerault comme à Assikasso, le jour exploite les corps, la nuit libère les esprits. Je crois qu'elle évoque nos soirées épuisées à échanger nos mondes en histoires.

— Je ne vais pas te soigner une maladie de ton pays. Seule la guérisseuse de là-bas peut. Mais si tu attrapes une maladie d'ici, pour te guérir, je connais dix plantes qui poussent derrière la case. Mon Parisien, la nature est violente, mais elle est juste et équilibrée. Tout comme il y a foule de prédateurs où il y a foule de proies, là où la nature répand à foison un poison, elle répand à foison son antidote.

— Tu connais des maladies de chez moi qui sont venues ici?

— Oui. Les Portuguessy ont envoyé le vomi noir...

— La fièvre jaune...

— Non, je dis le «vomi noir»...

— Nous l'appelons «fièvre jaune» parce qu'elle jaunit les yeux.

— Quel drôle d'idée? Des dizaines de maladies du ventre jaunissent les yeux... Les Inglessy ont apporté les boutons de fièvre qui tuent les enfants et la maladie du bouton sur le sexe. Les Hollandys ont apporté la bête du cochon dans les doigts de pieds. Avant les Franssy, on ne connaissait pas le nez qui coule et chauffe la tête.

— Comment les soignez-vous?

— On ne sait pas les soigner. À vos guérisseurs de nous dire comment. En retour, nous leur dirons comment faire avec les nôtres. Au lieu de vous faire avaler ces grains qui pourrissent vos dents et votre tête, il suffit de nous demander des nouvelles de Dja Kouadjo, nous dirons qui il est et comment s'en débarrasser. J'ai essayé de parler à docteur de Grand-Bassam, j'ai fouillé dans ses affaires. Il m'a crié « salgass » !

Sous l'orangé du feu à la place du drapeau, nos contes, à Adjo et moi, durent longtemps après l'heure des Woya. À la mi-nuit, ces mammifères arboricoles commencent à secouer la canopée de leurs cris en écho : « *Wo-yaa !* » Il nous arrive de parler jusqu'à ce qu'ils deviennent aphones, vers l'aube. Quelle que soit l'heure qui enfin nous isole dans la fraîcheur des murs de terre de notre case, les flammes continuent de danser dans les yeux et sur l'enveloppe du corps de Adjo.

« Ma coumandan pas dormir la nuit. » Sokhna l'appuie d'un sourire et d'une frappe sur son ventre. J'interromps la rédaction des histoires et mœurs agnys auxquelles j'occupe mes jours. Je me tourne vers Adjo. Elle partage la candeur d'un jeu avec Petit Malamine. Cambrure plus prononcée que de coutume, son nombril pointe au centre des scarifications étoilées. Nouvelle constellation. Ce temps hors du temps trouve son achèvement dans cette rondeur. Je comprends. Je comprends Père, le retour à la Galerette, Mère à ses côtés, l'abandon des rêves de jeunesse. Quand sonne l'appel de la descendance, les saumons quittent bien le vaste océan et reviennent à contre-courant dans le lit étriqué des rivières où ils sont nés. Naître ici. Grandir là-bas. Renaître là. Carrousel des générations. Je comprends aussi Abilius le Romain lorsque s'achève la campagne de Gaule. Il est le premier saumon, celui qui fixe le lit de notre rivière, le bras de

Claise paisible de la Galerette. Rentrer à Abilly commence par revenir à Grand-Bassam. Ressusciter s'impose.

Notre retour est loin des calculs de trajectoire de Treich. L'étape du lendemain dépend de celle du jour, qui elle-même est une conséquence de celle de la veille. «Il y a une source d'eau à une heure», «Un ruisseau par ici donne une belle eau», «Il y a des champignons derrière le grand Iroko après telle rivière», «Ma tante est mariée en tel village», «Ne traversez pas la forêt maudite en tel lieu», «Vous pouvez marcher de nuit quelques jours, un chasseur a abattu la panthère qui rodait»... L'approche se fait de proche en proche. La destination est accessoire, seule compte l'étape suivante. On en voyage plus léger, plus rapidement. Conseils aux futurs Brazza et Stanley : oubliez ces cartes dont les vides sont comblés d'un imaginaire qui envisage tout sauf le plus élémentaire : demander son chemin. Même avec Petit Malamine en tête de file, notre troupe met deux fois moins de temps que n'importe quelle expédition Dejean. Quelques jours suffisent pour arriver à Bettié. Ensuite, le bras navigable du Comoé en pirogue. Les eaux faufilent leur noir profond dans un corridor de bosquets assoiffés au point d'immerger leurs feuilles. Des rochers aux reflets rose feldspath menacent de leurs arêtes les ventres de bois des esquifs. Quelques singes s'associent aux toucans pour accompagner le boucan d'une cascade en amont. Des bandes de crocodiles, gueules ouvertes, immobiles sur la grève, avalent les rayons de soleil. Dans le ciel, les éperviers ne battent pas des ailes mais enchaînent les tours dans les colonnes d'air chauffé par des feux de brousse. L'horizon est morbide, on croit naviguer sur le Styx. À chaque détour, la peur de tomber sur Cerbère ou un autre monstre du royaume de Hadès. Dans les contes agnys, le Comoé est toujours un théâtre d'horreur. Abra Pokou, la reine infanticide, y a jeté son fils en sacrifice pour que puisse traverser son peuple.

À la mi-journée de navigation, le fleuve calme ses remous, recule ses berges, éclaircit ses eaux. On peut lui trouver un air de Creuse si on enlève les oreilles d'hippopotames qui affleurent. Nous atteignons Alépé, fief de Bidaud, intérimaire attitré de Treich. « Dabilly ! » Bidaud ne m'a jamais vu. Mais dans la brousse africaine, les nouvelles vont plus vite que le voyageur.

— Nous étions incrédules quand nous avons appris que tu descendais la rivière.

Bidaud incarne la bonhomie même. Les larmes ne l'empêchent pas de me presser de questions. L'Assikasso, la route, l'or, le caoutchouc, les produits, ma maladie, ma mort, ma résurrection… Le sens pratique des hommes de Verdier. Il nous fait un tour du propriétaire. Partout, des arbres coupés, « Alépé » suivi de quatre chiffres marqué au pochoir sur la tranche. L'arbre du hurleur de La Rochelle a été abattu dans les forêts d'Alépé. Les vapeurs de la Compagnie tractent les billes par voie d'eau jusqu'à Grand-Bassam. La maison de Bidaud est au point le plus haut, au-dessus du fleuve et du village. Les Akyés, naturels du pays, sont plus petits et fins que les Agnys. Ils ont l'air de chanter en permanence parce qu'ils parlent une langue quasiment dépourvue de consonnes. S'attacher à différencier les physiques et les parlers des noirs… Il semble que je bascule négrophile. Dejean n'appréciera pas. Sans distinction de couleur ou de condition, nous sommes tous invités à la table de Bidaud. L'homme aime à être entouré. Il y a à manger pour un régiment. « Nous ne recevons pas tous les jours un ressuscité ! » Adjo serre le bras qu'elle me tient lorsqu'apparaît un adolescent mulâtre, cheveux bouclés. Bidaud n'a cure des sollicitations du jeune homme basané. Il conte les derniers événements survenus à la colonie. Treich n'est plus Résident délégué, il est Résident de France.

— Notre colonie nous a filé entre les doigts, Dabilly. Plus de Verdier, plus de Compagnie ! Il n'y plus que la France. Treich est désormais de l'autre bord. Péan et sa bande de rapaces vont nous le manger.

Un filet de larmes roule sur ses joues mais sa bouche jamais ne s'arrête de parler.

— Nous les avons littéralement pêchés sur le fleuve. Ils n'étaient pas frais. Et le capitaine, il ne sentait pas bon du tout.

— Le capitaine ?

— Pas le poisson, le bonhomme de Kong. Il était à l'article de la mort quand ils sont arrivés ici. Treich, lui, il tenait encore debout sur les jambes. Il a assuré toute la descente. Il n'est tombé qu'une fois arrivé à Grand-Bassam. Ah, le sens du devoir de ce bonhomme !

Le garçon basané se rapproche de Bidaud. Il est rabroué sans ménagement. Adjo me serre le bras.

— Tu sais Dabilly, je crois que nous sommes à la saison de la résurrection. Dès que nous avons reçu les premiers télégrammes de félicitations venus de France, le capitaine sent-pas-bon a ressuscité aussitôt. Un vrai miracle.

Dans le rire aussi des larmes lui coulent des yeux. Le garçon peau de cuivre cheveux bouclés l'imite. Bidaud le fait taire. Adjo me serre le bras.

— Je crois bien que nous nous sommes fait avoir. Treich ne tiendra pas bien longtemps dans ce panier de mambas. Dabilly, j'espère que toi non plus tu ne vas pas nous quitter pour la France. Pas le pays, mais cette chose à venir où tous les ambitieux contrariés rêvent d'avoir des rues à leur nom…

Ce soir-là, avant de basculer dans le sommeil, Adjo me répète, comme un exercice de mémoire, «Jure-moi de ne jamais l'ignorer en public!…» Sous le coup de la fatigue, je renonce à déchiffrer sa phrase. Jurer l'apaise. Nous nous réveillerons tôt. Avec le *Jules Ferry*, vapeur de notre Compagnie française de Kong, il faut six heures pour atteindre le Quai, grève lagunaire où accostent, juste derrière Fort Verdier, hommes et produits de l'hinterland.

—

Les Kroumens ne dominent pas la plage par leurs seuls muscles. Ils serrent leurs huttes sur la plus haute crête de dune en face des établissements Swanzy & Co. Adjo et moi prenons nos quartiers dans l'une d'elles. Wayou, point étonné, est plutôt heureux de m'avoir pour public de sa gouaille. Même après trépas, il poursuit Fourcade de ses railleries. Le pauvre homme est mort au pied de son coffre-fort après un accès de dysenterie. «Fourcade verser caca dans tout maison là. Lui connaît pas nager, lui mourir noyé!» Il pense que j'ai peur de prendre sa place.

M'installer chez les noirs, les Kroumens en plus ! À Fort Verdier, on pense que ces mois d'isolement en brousse m'ont désorienté. Mon état de santé mentale ne fait plus de doute quand je propose à Péan de laisser Adjo examiner Treich souffreteux, alité depuis son retour de France.

— Le cancrelat colonial ! Il a le cancrelat colonial, ne le laissez pas approcher !

Dejean, la voix toujours aussi vive que les conclusions. Bricard borde le malade. Anno n'est nulle part. La pièce est sombre. Les fenêtres sont fermées côté lagune, ouvertes côté mer. Selon le docteur, les miasmes délétères viennent de la première alors que la seconde vivifie de sa brise. Thérapie du vent. J'entends la voix de Treich. Elle est faible. Je crois qu'il appelle sa sœur et sa mère. La fièvre. Une quinte de toux secoue sa couverture blanche. Péan lui applique des sinapismes.

— Vous savez bien que vous ne pouvez rien contre son mal. Adjo peut. Je suis en vie grâce à elle.

— Fous l'camp loin avec ton cancrelat colonial, bouffeur de cul de négresse !

— Aucun noir, encore moins votre sorcière, n'approchera le Résident de France. Je m'occuperai de vous soigner quand j'en aurai fini avec lui. Maintenant, laissez-moi faire mon travail.

Je retrouve la voix avec laquelle j'ai cheminé une nuit. Dévorée d'ambition et emplie de mépris. Je ressors. Bricard l'effacé me rejoint dans la rue pour s'excuser. Il a reçu un télégramme. Le Résident sera évacué en métropole. Un bâtiment de guerre qui croise dans le golfe va forcer escale pour le prendre. Je lui répète que Adjo peut le guérir si on lui laisse une chance.

Je prends congé en jurant que s'il le faut, je ferai enlever Treich pour le soigner. Au milieu de la nuit, passés par les voies derrière les factoreries, les dix Kroumens les plus musclés de la plage, Capitaine-et-veinard, Anno, Tano, Adjo et moi, nous nous retrouvons devant Fort Verdier. Brusquement sortis de la pénombre, une vingtaine de tirailleurs épaulent des Chassepot sur nos visages. Nous sommes cernés. Bricard a parlé, Péan a agi. Je reconnais Soumaré et Sall. Coumba n'est pas du lot.

Revenu dans notre Kroumenland, je ne trouve pas le sommeil. Adjo me rejoint sur la plage pour écouter le chant monotone de la barre. Les pirogues ont l'air échouées sur le sable. Comme un Sitafa termine une histoire, je murmure : « Il avait un cataplasme de graine de moutarde sur la poitrine. La dernière fois que j'ai vu Treich, il ne se portait pas bien. »

Embarquer de nuit dans le tonneau des impotents n'est jamais bon signe. Bricard accompagne Treich. Wayou et tous les Kroumens veillent sur la plage, attendant que le bateau lève l'ancre. Mais après plusieurs heures, le *Macéio* ne bouge pas. Les Kroumens comprennent. Ils mettent les canots à l'eau. Tous. Dans les remous de la barre de Guinée, les baleinières tournoient en cercles concentriques autour du bâtiment. Danse macabre. À l'aube, la nouvelle tonne en trois coups de canon. Treich n'atteindra pas les hospices meilleurs de la métropole. Le corps est redescendu dans l'embarcation de Wayou. Bricard a escorté un agonisant, il raccompagne un mort. Sous les premiers rayons du soleil, la plage est noire de monde. Je suis le seul homme blanc. Les autres n'ont pas le courage de fendre la foule. Telle concentration d'autochtones en pleurs inquiète. Bricard descend le premier de la pirogue. Le corps est enlevé par des dizaines de mains, porté de bras en bras jusqu'à une civière. Anno est là. Tano aussi. Ils déshabillent le mât avec lequel ils ont fait le trajet jusqu'à Kong, recouvrent Treich de son drapeau. Rue de France, la procession mène au cimetière des blancs sur la route de Nzuéti. Apoloniens, kroumens, aboureys, agnys, akapless et même mandés-dyoulas, tous les tam-tams de Grand-Bassam luttent en cacophonie pour accompagner les premiers pas du trépassé au pays des ombres. Le Résident de France est remis aux tirailleurs en faction sous la paillote montée en hâte pendant que deux ouvriers creusent la tombe. Le silence. Seule la barre continue de se lamenter à fracas de vagues. Recueillement de quelques minutes. Puis la foule se disperse. Paix soudaine. La Grand-Bassam noire a fini de pleurer Treissy, elle laisse la Grand-Bassam blanche enterrer Treich. Le rapport télégraphié au lieutenant-gouverneur à Dakar par le docteur Octave Péan, Résident par intérim, le déclare «mort à 29 ans, d'anémie, de consomption et de fatigues.»

«Monsieur le Résident, notre ami : au revoir!»

Ainsi s'achève l'oraison de Péan. Air triste emprunté, il plie la feuille en deux, la tend à son voisin Dejean. La main droite libérée s'exécute : front, plexus solaire, épaule gauche, épaule droite, signe de croix. Sur la civière, la masse informe, méconnaissable, renfle le bleu-blanc-rouge du drapeau. Depuis l'aube, six laptots la gardent exposée sous la paillote. Ils la descendent dans la tombe. Point de cercueil. Arrimé en lagune au niveau du cimetière, le *Diamant* tire un coup de son canon. En écho, douze marins envoient trois salves de Kropatchek. Les déflagrations font trembler le sol. Une motte de terre plonge à la suite du corps. La poussière rouge de Grand-Bassam flotte au-dessus de la tombe. «*De profundis!*» gravé au couteau sur la traverse de la croix en bois. Pas de nom, pas de fonction, pas de date. Agent commercial de la Compagnie française de Kong, explorateur, chevalier de la Légion d'honneur, Résident délégué puis Résident de France à la Côte d'Ivoire, Marcel Treich-Laplène est enterré aussi simplement qu'il a vécu.

Quelques semaines après l'inhumation, je suis dans la case des parturientes. Ce morceau de chair pleurant a besoin de moi. La peau noire, les bouclettes rouille, le trait des yeux, les pavillons des narines, les pommettes rondelettes, les moulinets des pieds, les doigts sur les poings…, ils sont tous réunis en elle, ceux de la Claise et ceux de la Bia.

La terre est un alibi, la richesse une esquive, la civilisation une escroquerie. Le caoutchouc, le bois, le café, l'ivoire, l'or, les pagnes anglais, le savon de Marseille, l'eau de Cologne, le gin hollandais, les parapluies, l'aiguille, le fil à tresser, les routes, le télégraphe…, tout n'est que prétexte. La vie seule compte. Celle qu'on perd, celle qu'on donne. Cette chose qui se joue là n'est pas nous, et elle n'est pas eux. Ensemble, nous devons lui trouver un nom autre que celui que l'on écrira dans les registres de la colonie enfantée avec elle.

— Parisien, Adjo n'aurait jamais dû traverser la rivière Tanoé. Les génies lui ont réclamé le droit de passage.

Prétentieuse Malan Alloua. Le carrousel du destin est plus grand que le manège de nos histoires. Pauvre Malan Alloua. Adjo est morte en couches. Perdre la vie en la donnant, cela arrive depuis la nuit des temps. La vie, pudique, garde jalousement ses mystères. Prophétique Alloua. Comme chaque propos agny, surtout déclamé dans le malheur, son discours porte une charge symbolique. Dans le Comoé, la reine Abra Pokou a sacrifié son enfant pour que traverse son peuple. Dans la Tanoé, ma reine Adjo Blé s'est sacrifiée elle-même. Pure Malan Alloua. Il est venu, le temps où les pères et les mères doivent sacrifier leur destinée pour que naissent les temps nouveaux où vivront leurs enfants. Magnifique Malan Alloua. En ton nom, ma fille, au nom de tous ceux qui viendront, je suis bien plus qu'un «brôfouê», un blanc, bien plus qu'un agent de la Compagnie française de Kong. Je suis un agent-symbole au service de deux civilisations en copulation. L'une mourra peut-être en couches.

Pour veiller sur l'enfant, plus que des Péan ou des Akassimadou, plus que des Fourcade ou des Sitafa, plus que des Boidy ou des Dejean, il faut des traits d'union. Non, Adjo, je n'ignorerai jamais notre enfant en public. Tu n'es plus là pour que je te le jure. Adjo, notre fille s'appelle Alloua-Treissy.

CHAPITRE ORPHELIN
LA MAISON SEULE SUR LA COLLINE

La cloche déjantée sonne la sortie des classes. C'est une jante de voiture, toute nue, pendulée sur une branche de manguier. L'Horloger, un CM2, est désigné pour la battre avec un morceau de fer dès que Mikip se tait et que les télévisions s'éteignent. Au premier coup, les classes populaires perdent la discipline. Cris et courses à pied sur le chemin de la maison, les jeux de la dernière récréation. Les têtes élevées sont légers. La plupart n'ont pas de sacs parce que les affaires sont rangées dans les images de Thompson.

Comme à *De Wallen*, une église est debout dans le dos de l'école. Elle tire le cou de son clocher au-dessus de la cour de récréation sous le ciel entier. Un jour, je demanderai à Camarade Papa pourquoi l'opium du peuple espionne ainsi les classes populaires. La villa bourgeoise à tulipes d'Émile et Geneviève est cachée sous les branches d'acacias en défilé derrière le bâtiment des Guêpes. Le trajet ne laisse pas le temps de suivre les oiseaux avec les pieds et les yeux. Alors je suis Yafoun Aléki chez elle, puis elle me suit à l'école, et je la suis encore chez elle, et ainsi beaucoup de suites. On descend la colline de l'école par le chemin le plus long parce qu'on doit contourner la maison des Éhiwa. Les Yafoun et les Éhiwa se détestent depuis qu'ils sont des singes dans les arbres d'où ils sont descendus pour devenir des hommes. Dans le bas-fond, on tombe sur le moulin, simple moteur à ciel ouvert avec un vase pour entonner le manioc sur un broyeur et le transformer en pâte à manger. Dans la tribu des Boni-marrons, le manioc est la plante de la liberté, dit Yolanda. S'échappant dans la forêt inexplicable loin des terres des esclavageurs, les Boni-marrons affamés ont observé les hommes de la zone, les Amazoniens. Ils les ont vus enterrer un bout de bois devenu en quelques semaines un gros tube Hercule que les hommes de la zone appellent *manioc*. C'est le nom d'une princesse qui s'est sacrifiée pour que le tube Hercule pousse. Les Boni-marrons ont fait comme les hommes de la zone et n'ont plus jamais eu faim. Le manioc les rendait si forts qu'ils sont devenus esclavengeurs, à se battre pour libérer les autres esclaves et rester libres.

Avant de broyer le manioc, on l'écorche vivant. On jette la peau à côté du moulin et cela fait sur le chemin des Yafoun un tas d'ordures mauvaises pour le nez des hommes, mais agréables pour celui des vautours. Sur le tas des peaux arrachées aux maniocs, il y en a toujours un troupement. Le cou nu jusqu'au nœud blanc sur la veste noir-plumes, ce sont les plus gros animaux volants après les avions du Bourgeois. Ils font peur la première fois, mais comme Yafoun Aléki n'a pas peur, ils ne font pas peur la deuxième. La piste derrière les vautours mène à une maison seule sur une colline à tête pointue. En face d'elle, la colline à tête plate est chapeautée par les maisons du quartier des

Yafoun. Lorsque la nuit veut tomber, on se laisse ami-distance car on est très copains et on ne voudrait pas que pour rentrer chez lui, l'un marche plus longtemps que l'autre. Ici je ne peux pas me garer parce que « Dans un champ de collines, on monte ou on descend. Lorsque le chemin est plat, c'est qu'on tourne en rond. » Yafoun Aléki est bonne en collines.

Les soirs, lorsqu'elle m'aide pour ma langue de français, Geneviève dit que c'est dommage parce que je vais perdre beaucoup de choses jolies dans la foule. Je la rassure que ma mission et tout le reste, le rapport fidèle pour Camarade Papa, la révolution, le Grand Soir, je ne les perdrai jamais. Geneviève rit des dents belles. Comme Yolanda. Maintenant, je n'ai plus que sa villa à tulipes pour parler de révolution. Elle m'écoute au coupe-coupe. Chaque fois que ma langue de français attrape une fourche, elle m'arrête. J'ai appris un mot aussi joli que « stéthoscope ». Elle dit qu'elle est « époustouflée » par mes progrès. Ça lui donne une belle bouche de me dire ça. Je lui demande de répéter plusieurs fois « époustouflée ». Et je ris à chaque fois. Elle aussi. Je crois qu'elle fait partie des nombreuses Yolanda que Camarade Papa a promises. Mais je préfère ma Yolanda. Je ne veux pas montrer qu'elle me manque parce que je ne veux pas trister Geneviève. Coupe-coupe ! « Attrister » que l'on dit. Geneviève garde toujours le sourire. Pas Émile. Je ne comprends pas son attristesse, lui qui travaille toute la journée dans les arbres à chocolat.

Un soir, lorsque je vais au camp de redressement pour un pipi de la nuit, j'entends parler.

— Il faut le ramener à sa grand-mère, il ne peut pas rester ici indéfiniment.

— On ne peut quand même pas le laisser chez une vieille femme malade?

— Elle est rentrée de l'hôpital. Tu ne peux plus te cacher derrière cet argument. Nous n'avons aucun droit sur lui. Nous ne sommes que les amis de ses parents. Sa famille, c'est là-bas.

— Les amis comptent aussi pour l'éducation d'un enfant.

— Pas quand ses parents nous le confient pour l'envoyer à sa grand-mère.

— Je sais très bien qu'on ne peut pas le garder. Mais au moins, on peut le préparer. La vie n'a pas été facile pour ce gamin.

— La vie n'est pas facile non plus pour une vieille dame dont la fille a disparu.

— Mais...

— Geneviève!

— Je...

— Il va s'en sortir. Tu dis toujours qu'il est si intelligent. Il va s'en sortir.

— P...

— Geneviève! Ne t'inquiète pas. On va bien finir par l'avoir, ce bébé.

Comment peut-on être aussi gentil et en vouloir à un bébé? D'ailleurs Geneviève pleure. Le chasseur d'eau des toilettes attendra. J'exécute le repli le plus silencieux possible vers mon Spoutnik dans la chambre espace. Aucun Vietcong de l'oncle Ho n'aurait fait mieux. Ils peuvent avoir le bébé, moi, ils ne m'auront pas.

Le lendemain, je refuse de monter dans la Fiat 127 à chemise brune. Cette fois, Émile ne me force pas. On marche, Geneviève en tête. Elle a les yeux bourse soufflée. Je crois qu'elle n'a pas fini de pleurer la discussion de la nuit. Après le moulin à manioc qui aurait bien plu aux Boni-marrons du pays de Yolanda, on prend le chemin de la maison seule sur la colline. Je ne peux pas m'empêcher de regarder côté Yafoun. Je me demande ce que fait Aléki-Joe-le-petit-boum-boum un matin sans classe populaire. Je reconnais le moulineur en train de descendre à vélo vers sa machine qui fait un bruit de tracteur de kolkhoz. Ce ne doit pas être facile, le vélo, dans une ville où ça monte et ça descend tout le temps. Pas comme Amsterdam. Mais je pense qu'un moulineur n'a pas peur de pédaler. On trouve une palissade inutile en bambou devant la maison seule sur la colline. Elle n'a pas de porte fermée. Elle ne sert à rien d'autre qu'être jolie. On entre dans une cour tellement grande qu'on y enterre des gens comme à *Oud Kerk*. Au milieu, une tombe à carreaux blancs. Du monde nous attend autour. Parmi des gens que je ne connais pas, il y a Yafoun Aléki et ses parents debout près de Éhiwa Jean et ses parents. Moi qui crois que ces deux familles ne peuvent pas se supporter en peinture sous le même soleil ! Il doit se passer une chose étrange par ici. Émile et Geneviève donnent à tous des salutations en chaleur jusqu'à ce qu'apparaisse une vieille dame. Les bouches se ferment, les mains se rangent dans les poches ou dans le croisé des bras. Elle avance vers moi tellement lentement que sur un vélo d'Amsterdam, elle serait déjà tombée. Elle s'arrête tout près de moi parce qu'avec des lunettes qui écrasent son nez, on ne doit pas voir bien loin. Elle passe les doigts dans mes boucles qui n'ont pas attrapé la crêpe à cause de la rouille à ma naissance. Elle porte les mêmes sur sa tête. À part ça, elle est à l'envers de moi. Je suis jeune, elle vieille. Ma peau est lisse, la sienne fait des vagues. J'ai la peau marron très clair, elle marron très foncé. Plus foncé que celle de Yolanda, peut-être plus foncé que le tableau inutile dans les classes de l'école à têtes élevées et auxiliaire Thomson. Je me souviens de Geneviève dans la voiture fasciste, ses projets de peinture sur mon visage pour que je ressemble à quelqu'un. Ce ne sera pas nécessaire, j'ai compris. La vieille dame fait la tête comme Maman. La motion est forte, je prends l'altitude révolutionnaire.

— Bonjour camarade Nanan Alloua-Treissy.

Pas le rire des gens, mais le sourire de la vieille dame me dit que je viens de prononcer ma langue de français la plus belle de ma vie. À cet instant, je m'en fous du paradis socialiste, je m'en complètement fous de la révolution. J'ai juste envie de voir Maman et Papa. Grand-mère me prend dans ses bras. Je ne pleure pas. Elle non plus. Les Boni-marrons de la forêt inexplicable, à la place de l'opium du peuple, ils ont les ancêtres. Quand Maman s'en va à son paradis socialiste de Hodja, Yolanda dit que je vais la retrouver un jour ; que les bébés connaissent leurs parents depuis très longtemps avant leur premier cri du peuple souverain ; que naître, c'est retrouver ses parents d'un autre temps et d'un autre ailleurs. Après les retrouvailles avec Grand-mère, peut-être bientôt le retour de Maman. Ici aussi on est tout proches des ancêtres, Yafoun Aléki m'a dit. Quand on meurt on est enterré parmi les vivants à la maison ou à côté et on devient ancêtre à son tour. Sauf pour Grand-mère. Elle est tellement vieille que sans être morte, elle est déjà ancêtre.

Nous nous asseyons sur la tombe à carreaux blancs. Dessus, un nom et une date. Pas de croix de l'opium du peuple. «Maxime Dabilly – 1936». 36, le Front populaire, l'année des grandes vacances, la petite revanche de la Commune de Paris. La maison seule sur la colline est mon nouveau chez moi. La nuit, quand nous ne sommes que deux dans la chambre de Grand-mère avec un lit mousquetaire en forteresse de voile contre les moustiques, elle sort une caisse vieille comme sa peau. Je pense qu'il y a un trésor dedans, mais il n'y a que des cailloux et des papiers. Les cailloux, elle les a ramenés d'un village de France où elle est partie rechercher ses ancêtres. Elle a trouvé des cailloux à la place. Son Camarade Papa à elle l'avait envoyée en mission elle aussi. Elle est partie seule comme je suis venu. La tombe du Front populaire, son Camarade Papa l'habite. Les papiers, c'est lui qui a écrit un tas d'histoires dessus. D'abord avec sa main propre, comme Maman. Ensuite avec la machine. J'aime beaucoup les histoires. Je lirai toutes les feuilles sur les cailloux-ancêtres. En attendant, je laisse Grand-mère me raconter les siennes pendant qu'elle me déborde sur le lit mousquetaire. Je lui apprends notre signe de Yolanda. Lorsque je la regarde me regarder en l'exécutant, je sais que Ogun a créé Grand-mère avec beaucoup plus de terre d'amour que tout le monde sous le ciel entier.

Les dix ans

Il y a dix ans paraissait le premier livre d'une maison indépendante, avec une maquette iconoclaste et des illustrations « noir sauvage » qui inspiraient l'effroi ou la fascination. *Gog*, de Giovanni Papini, fut lancé par une tribune assassine de Michel Polac dans *Charlie Hebdo*, condamnant la misanthropie du propos comme le nom de la maison par ces mots : « Il faut oser ! »

Eh bien, Attila osa.

Comme une certaine *NRF*, les éditions naissent en 2007 d'une revue. Une revue vorace qui défrichait les bibliothèques en même temps que la ville et la typographie. Cette horde rêve de pirater le Panthéon littéraire en détroussant les auteurs connus pour faire lire les méconnus. La maison ne fera pas table rase, mais cultivera les mauvaises herbes littéraires.

À une époque où le terme sent encore le soufre, Attila se fait connaître par des rééditions enrichies de pépites méconnues (Ludwig Hohl, Ramon Sender, Jean-Paul Clébert…). Passé l'âge héroïque, elle traduit des contemporains capitaux inconnus au bataillon (Edgar Hilsenrath…), avant que des auteurs français bien vivants, à la plume lumineuse et caustique, n'offrent au « nouvel » Attila ses plus beaux succès (Gauz, Maryam Madjidi…).

Dix ans, c'est le temps qu'il a fallu pour passer de livres qui étaient « tous différents » mais quelque part « toujours les mêmes» à une maison qui déjoue les lignes. 2014 : création d'un domaine français (Incipit). 2015 : création d'un domaine expérimental (Othello). 2016 : création d'un domaine jeunesse autour du Dr. Seuss. 2017 : début de l'œuvre complète d'Hélène Bessette. 2018 : naissance d'une lignée documentaire venant perturber les genres et renouveler un regard sur le monde, ce que l'on défend depuis les débuts.

Dix ans que l'on ruine nos nuits et la santé de nos imprimeurs pour faire lire les auteurs qui, contre les habitudes et les lois les plus élémentaires du marché, nous ont fait confiance.

Dix ans d'un travail singulier, devenu, par la bonne fortune d'amitiés vivaces et de relais vitaux, des éditions Monsieur Toussaint Louverture aux éditions Anne Carrière, de plus en plus collectif. Car faire naître un livre, à l'écriture, à la publication, à la lecture (trois naissances, comme celles de *Marx et la poupée*), est d'abord une histoire de rencontres. Une alchimie de désirs et de visions. C'est d'abord – sans cela la littérature serait chose morte – donner confiance aux uns, et envie aux autres.

L'intuition, dans *Le Navire de bois* de Hans Henny Jahnn, qu'un passager clandestin est caché à bord, finit par contaminer tout l'équipage, faisant chavirer les repères et les certitudes, et projetant sur le monde matériel l'univers intérieur de chacun. La lecture est pour nous cette affaire de passager clandestin qui remet tout en question… sans qu'on puisse préciser si le clandestin est le livre ou le lecteur.

Attila ose douter, écouter les textes, se laisser surprendre. Se réinventer, parfois. Se faire plaisir, toujours.

Ce livre a été composé par le Camarade Cheeri
en Sabon next, Fedra mono & Geneo.

Il a été achevé d'imprimer aux beaux jours de juin, à Tours,
chez les Camarades de Soregraph-Livres.

Remerciements à LG, agent symbolique,
et à Stéphane, qui m'a prêté son village.